FRE REZ

COLLECTION FOLIO

Yasmina Reza

Adam Haberberg

Gallimard

La première édition de ce livre a paru sous le titre *Adam Haberberg* en 2003. En 2009, il a été repris sous le titre *Hommes qui ne savent pas être aimés*. La présente édition revient au titre originel.

Un jour, l'écrivain Adam Haberberg s'assoit devant les autruches sur un banc du Jardin des Plantes et pense, ça y est j'ai trouvé la position de l'hospice. Une position spontanée pense-t-il, qui ne peut se trouver que sans effort. Un beau jour, on s'assoit et ça y est, on est dans la position de l'hospice. Il se trouve bien dans cette position, je m'y trouve bien parce que je suis jeune, pense-t-il, et que je n'ai pas l'obligation de m'y tenir. En temps normal, Adam Haberberg reprend le dessus, mais il n'est pas en temps normal, un homme qui paye six euros pour faire quelques mètres le long du quai Saint-Bernard et revenir s'échouer sur le premier banc en face des autruches, dans ce qui est sans doute l'endroit le plus laid et le moins agréable du jardin.

Donc, un jour, devant les autruches du Jardin des Plantes, Adam Haberberg s'assoit. Le banc est mouillé par une pluie invisible. Les deux bêtes molles et grises mangent une sorte de paille devant leur cabane, dans un enclos totalement vide. Le

téléphone portable sonne dans la poche. — Allô ?
— Tu as vu le temps qu'il fait, à se flinguer, dit la
voix. — Bah, de toute façon. — Tu es où ? — Au
Jardin des Plantes. — Qu'est-ce que tu fais au Jar-
din des Plantes ? — Et toi, tu es où ? — À Lognes.
Sur le parking d'Eldorauto. — Qu'est-ce que tu
fous à Lognes ? — J'attends Martine. Et le livre ?
— Fiasco. — On se voit ? — Je te rappelle.

À l'entrée du bâtiment en brique de la fauverie, le mot boutique trône en énorme. L'ophtalmo, se dit-il, l'ophtalmo ne s'est pas montré
rassurant. Il ne s'est pas non plus montré alarmant. Mais est-ce qu'un ophtalmo se montre
alarmant ? Est-ce qu'un ophtalmo dit : monsieur
Haberberg, on ne peut exclure la possibilité que
d'ici peu vous ayez perdu l'usage de votre œil
gauche, cher monsieur Haberberg, qui nous dit
qu'en sortant d'ici vous pourrez encore traverser la rue comme avant ? Non. L'ophtalmo dit :
la deuxième angiographie confirme le diagnostic de thrombose sub-totale de la veine centrale
de la rétine. Avec plus d'hémorragies que dans
la première – ce qui est normal car il est normal que l'œdème s'aggrave avant de commen-
cer à se résorber. Ça peut mettre six mois à
deux ans avant d'être stabilisé, ça peut s'aggraver, rester stationnaire, ou s'améliorer. L'ophtalmo dit aussi : vous avez de la chance monsieur
Haberberg car vous avez conservé une bonne
vision de près, vous ne voyez pas de vagues et
vous ne voyez pas les choses déformées. Et

il ajoute : il faudra aussi faire un champ visuel car vous présentez une forme de fond d'œil qui peut évoquer un glaucome, ce n'est qu'une suspicion mais votre pupille est creusée et nous n'avons pas le droit, comprenez-vous, de passer à côté d'un début.

Adam Haberberg a quarante-sept ans. Un âge jeune, pense-t-il, pour voir clignoter les opacités de la mort. Ça avait commencé par un scintillement, ça commence toujours, pense-t-il, par ce genre de choses, un scintillement, un bourdonnement, un picotement, par ces choses à peine sensibles, des clochettes légères. Il avait masqué son œil droit avec sa main et dit à sa femme : je vois trouble. Ça nous manquait, fut son commentaire. Je vois flou de l'œil gauche. C'est une poussière, ça va passer. Elle s'en foutait, elle avait déjà quitté la pièce, elle se foutait de tout ce qui le concernait. Le mot thrombose, articulé avec modestie quelques jours après, n'avait fait que l'irriter. Le mot thrombose avait balayé ce qui pouvait rester dans le cœur d'Irène, d'indulgence ou de compréhension.

Adam Haberberg pense à Albert qui attend Martine sur le parking d'Eldorauto à Lognes. Il pense à sa femme, il pense à son œil. Il pense au désastre de son livre. Il pense à l'animal avec des canines qui dépassent la mâchoire, voûté dans un endroit du jardin entre deux ovales de buisson. Solitaire, a-t-il lu sur le panneau, habitant des forêts montagneuses d'Asie. Solitaire, a-t-il pensé en regardant la bête sans queue brouter en tremblant, oui, mais pas de cette solitude-là, solitude du plat, sans air, de l'herbe indifférente et du bruit des voitures, dans la partie du monde où tu habites, en rouge sur le panneau, tu vois le ciel dans les trouées d'ombre, je n'ai jamais écrit sur la montagne, pense-t-il. Des sentiers, des chemins que j'aime, je ne peux parler.

Adam Haberberg n'aimait plus son livre. Il l'avait même en horreur. Était-ce un arrangement de l'orgueil? Une tentative plus ou moins honnête, reconnaissait-il, d'expliquer le fiasco? Mais il fallait bien avouer que le livre, jadis (il n'y a pas longtemps) aimé avec incertitude mais aimé malgré ou à cause de l'incertitude, n'était subitement plus aimé et même rejeté et même considéré comme une merde de plus parmi les inutiles merdes proliférantes et ce sentiment était sincère à la nuance près qu'on ne pouvait détecter à quel moment il avait pris forme, à quel stade du fiasco il s'était imposé, ni s'il s'agissait de clairvoyance ou de sauvetage. Était-ce la généralité de l'évènement (du non-évènement) ou un jugement particulier? Une sentence qui aurait pu paraître pertinente ou émanant d'une voix considérée comme pertinente? Irène qui n'avait pas contesté le mot fiasco, l'avait accusé d'accréditer le fiasco social, de sorte que le fiasco social s'était mentalement mué en fiasco littéraire, ce glissement dans l'esprit d'Adam du fiasco social au fiasco littéraire répugnait à Irène

12

qui n'y voyait que trahison, lâcheté et courbure. Théodore Onfray écrit que ton livre est une merde et moi ta femme, s'était plainte Irène, qui t'avais dit qu'il était bon, je n'ai aucune *vista*, je ne vaux rien et mon avis ne vaut rien. Aussi radical s'était montré Goncharki pour qui jeter un œil sur la colonne d'un Théodore Onfray relevait du surnaturel. Votre amertume est écœurante, avait dit Goncharki, et vos doutes le sont encore plus, vous vous troublez d'être rejeté par ceux-là mêmes que vous vomissez, vous êtes ouvertement aux abois. Je regrette, avait-il dit, que vous n'ayez pas cru bon de feindre, en ma présence, une sauvagerie qui vous aurait maintenus vous et votre livre à une certaine hauteur.

Goncharki et Théodore Onfray n'ayant ni thrombose ni glaucome – Adam ne croit pas non plus au glaucome pour ce qui le concerne, quel sort va s'acharner deux fois sur le même type et le même organe ? – aucun des deux n'est en mesure, pense Adam, d'émettre un jugement pertinent sur la marche du monde. Pourquoi se laisser ronger l'esprit par ces petits maîtres de bistrots, ce qui bien sûr est injuste pour Goncharki qui est un vrai désenchanté. Le glaucome, Adam n'y croit pas. Admettons la thrombose, pense-t-il, je n'avais pas prévu la thrombose mais admettons la thrombose. Je ne vais pas avoir et thrombose et glaucome. Moi, pense-t-il avec nostalgie, un habitué des dysfonctionnements dont aucun n'était censé être sérieux.

Des enfants courent en anorak le long des

grillages. Un vent se lève et ébouriffe dans l'enclos les moineaux et les pigeons. La thrombose, c'était un saut dans la vieillesse. Après la première visite chez l'ophtalmologiste, Adam avait cherché dans le dictionnaire la définition du mot thrombose : formation d'un caillot dans un vaisseau sanguin ou dans une cavité du cœur chez un être vivant. Pourquoi avoir précisé chez un être vivant ? Sinon pour souligner l'anormalité et le danger ? Irène avait haussé les épaules. Elle était excédée. Irène ne l'aimait plus. Il lui reprochait de ne plus l'aimer. À quoi elle répondait que ce n'était pas un reproche fondé car on n'est pas coupable de ne plus aimer. Il sautait sur la phrase et s'exclamait, tu vois, tu l'admets, tu ne m'aimes plus. Elle répondait, je parle d'une manière générale, on ne peut pas accuser quelqu'un de ne plus aimer. Il persistait : tu l'avoues, avec une froideur horrible, tu viens d'avouer que tu ne m'aimes plus. Elle l'accusait de perversité dans la conversation, elle disait, ça t'arrange de m'accabler. Il répondait, je ne t'accable pas, je constate. Ainsi allaient la plupart de leurs échanges. Irène était ingénieur à France-Télécom, elle partait le matin vers huit heures et revenait, épuisée, le soir vers neuf heures ou plus. Il lui reprochait ces horaires de forçat qui le transformaient en bonne d'enfants (ils avaient deux garçons de cinq et huit ans), il lui reprochait de n'avoir aucun tourment sérieux comme tous ses amis les fonctionnaires, il disait, si seulement tu comprenais la différence entre fatigue physique et fatigue mentale, il disait – terrible injustice, il le savait, et qu'Irène ne cherchait pas à corriger – il disait, toi tu rentres chez toi et tu peux tirer le rideau alors que nous, sous-entendu les artistes, nous restons obsédés le jour et la nuit, nous n'avons pas de repos.

Adam rappelle Albert. — Au fait, confirmation du diagnostic de thrombose. — Merde. — Thrombose sub-totale de la veine centrale de la rétine. — Merde. — Examens cardio-vasculaires avec échographie, bilan de toute la coagulation, recherche de diabète, cholestérol, etc. j'ai rien sauf une anomalie génétique. — Attends, j'ouvre à Martine. – L'hyperhomosystéinémie. — C'est quoi ? — Un truc qui donne des thromboses. On doit aussi me faire un champ visuel, car j'ai peut-être un glaucome. — Je n'ai pas entendu. — J'ai peut-être un glaucome. — Un glaucome ? Pourquoi tu aurais un glaucome ? — L'ophtalmo dit que j'ai peut-être un glaucome. — En plus ? — En plus de la thrombose. — Tu ne vas pas avoir les deux. — Pourquoi pas ? — Bon. Je te vois quand ? — Dis à Martine qu'on n'a pas idée de travailler à Lognes. — Je lui dirai. — Encore moins à Eldorauto. — Je suis d'accord. — Dis-lui de me présenter le génie qui a inventé ce nom. — O.K. — Elle a lu mon livre ? — Elle va le lire. — Dis-lui que j'ai une thrombose. — Il y a un camion d'Animalis qui m'empêche de sortir du parking.

Elle ne lira jamais mon livre cette malheureuse

Martine, Dieu merci, qu'est-ce qu'elle peut comprendre à la littérature, pense Adam. Qu'elle l'achète au moins, ça fera une vente. Elle ne l'achètera pas puisque Albert lui prêtera son exemplaire. Aucun espoir d'aucun côté. La seule différence entre la réussite et l'échec, avait dit Goncharki, c'est le mouvement. Un truc qui marche, ça crée de l'agitation. Vous échappez un peu à la morosité de la vie.

Goncharki écrivait depuis des années une sorte d'essai à vocation métaphysique, inspiré par la destinée du gangster Meyer Lansky. Adam, qui était lui aussi fasciné par Lansky, avait entendu Goncharki prononcer ce nom lors d'un dîner. Rares étaient les vrais interlocuteurs dans ce domaine et Goncharki l'avait accueilli aimablement parmi sa cour de circonstance. Leur discussion avait pris son envol sur le principe qu'il valait mieux être Meyer Lansky qu'untel ou untel. Ils avaient commencé par leurs congénères, les écrivains, puis ils avaient élargi aux hommes politiques, aux soi-disant penseurs, aux joueurs de foot, aux grands patrons, au pape, il valait toujours mieux être Meyer Lansky. À la fin, il ressortait qu'il valait mieux être Meyer Lansky que le reste de l'humanité. De cet accord une relation était née, renforcée par une commune passion pour le jeu d'échecs (jusqu'à ce qu'une stupide dispute les prive de ce passe-temps). Goncharki fumait deux paquets de Gitanes par jour et ne pouvait s'endormir la nuit que complètement ivre. Par un curieux phénomène de discipline, lui qu'aucune réalité sérieuse n'obligeait à tenir le cap, il ne commençait à boire que vers sept heures du soir, entre sept heures et le moment où il se traînait sous ses draps, il avait ingurgité trois litres d'alcool dont une bouteille de whisky. Goncharki avait autrefois publié deux polars dans la Série Noire et un pamphlet intitulé *Zones culturelles*, dont le sous-titre était *Manuel de survie*. Sa femme avait fui avec leur fille lorsque l'enfant avait six ans. Elle était dentiste à Tours et effectuait chaque mois un virement de neuf cents euros sur son compte. Il écrivait des séries populaires, des *Blade* et des *Brigade mondaine*, et au bout du compte uniquement des *Brigade mondaine* depuis qu'il avait pris Richard Blade en grippe on ne sait pourquoi, il traduisait de temps en temps, de l'allemand, des textes politiques pour le C.D.E. Il vivotait. Pourquoi la thrombose ne s'est-elle pas abattue sur lui ? Pourquoi le sang se coagule dans mon œil à moi, pense Adam, un homme en parfaite santé (les plaintes quotidiennes n'ont rien à voir avec la santé). Pourquoi c'est moi qui m'engage dans l'effroyable processus médicamento-hospitalier ? Et non Goncharki, qui a conduit son corps à la catastrophe depuis des lustres, qui a les yeux rouges et injectés et qui n'a plus rien à perdre ? Je n'ai que quarante-sept ans, pense-t-il, observant à travers le grillage la sottise de la marche autruchienne – à quoi bon des ailes pour ne même pas voleter – je suis jeune, je suis trop jeune pour que le monde s'éteigne. L'ophtalmo avait donné du Veinamitol, un veinotonique en poudre orale préconisé dans le traitement des hémorroïdes. Vous pouvez toujours en prendre, avait dit le professeur Guen consulté après la première angiographie, une phrase qui donnait une impression de fatalité et de tristesse. Avant le Veinamitol on avait prescrit de l'aspirine, le Veinamitol avait paru plus sérieux, en dépit de sa destination hémorroïdaire, il avait paru de nature à assouplir les globules rouges, et à fortifier les vaisseaux. Jusqu'à la phrase regrettable du professeur, Adam Haberberg avait ingurgité le Veinamitol avec foi. Il prenait désormais ses deux sachets sans entrain et même avec un certain ressentiment. En fait il continuait à prendre le Veinamitol pour qu'on ne l'accuse pas en cas d'aggravation d'avoir arrêté le Veinamitol. Il continuait le Veinamitol par superstition. Le professeur Guen avait ajouté au traitement deux comprimés par jour de Spéciafoldine. Mais la Spéciafoldine n'avait rien à voir avec le Veinamitol, ni même avec la thrombose rétinienne elle-même. La Spéciafoldine devait servir à corriger l'anomalie génétique appelée hyperhomosystéinémie. La Spéciafoldine devait, dixit Guen, pallier la carence en acide folique laquelle pouvait entraîner d'autres thromboses ailleurs. C'était un remède *de terrain*. On ne pouvait compter sur lui pour une action dopante sur le plan psychique.

Adam est sur le point de rappeler Albert. Il a oublié de mentionner le week-end dans le Cotentin. C'était son idée le Cotentin. Il avait eu l'idée d'aller passer le week-end dans le Cotentin parce qu'il faut de temps en temps avoir ce genre d'idée. On décide qu'on peut être heureux, deux jours c'est rien, c'est à portée de main, on se dit que c'est vraiment le minimum pour une famille de partir deux jours ramasser des coquillages à Saint-Vaast-la-Hougue. Au premier poste d'essence, Adam avait offert un pistolet à eau au petit. Irène avait désapprouvé cet achat. Elle avait confisqué le pistolet pour se réfugier dans un silence hostile. Au bout de quatre-vingts kilomètres le bonheur s'était envolé. Au poste d'essence, les autres familles avaient l'air heureuses, dans les voitures qu'ils croisaient les autres familles avaient l'air heureuses. Le pistolet était-il si grave ? Le pistolet était grave, il confirmait – c'était le sens du silence d'Irène – son inconséquence générale. Un couple, avait dit Goncharki un jour d'inspiration, c'est comme une maison. Ça se construit pendant un temps, les fondations, les murs, les plafonds, tu consolides le toit, les ouvertures, et puis c'est fini, tu ne peux plus rien bouger. Tu peux refaire un peu les peintures, tu peux bricoler à droite, à gauche, mais le gros, tu ne peux plus le bouger. Adam ne rappelle pas Albert. Albert est avec Martine. Sans Martine, Adam aurait dit : et j'ai oublié, week-end catastrophique dans le Cotentin. Et il aurait raccroché. Sans Martine, la phrase se tenait. Sans Martine, Albert aurait rappelé : je n'ai jamais aimé le Cotentin, je préconise de le couper. Et il aurait raccroché. Sans Martine, ils auraient eu cet échange vital. Albert a Martine, pense Adam, qui lui masse les pieds et lui fait du ris de veau, moi j'ai Irène qui me hait. Veux-tu d'une femme qui te masse les pieds et te fasse du ris de veau ? pense-t-il en considérant l'agressivité du mur de brique rouge de la fauverie. Adam admet l'erreur du pistolet à eau. Le pistolet à eau, c'était la porte ouverte à la folie dans la voiture. Mais la folie dans la voiture valait mieux que le silence de mort, de toute façon la folie avait vite régné à l'arrière même sans pistolet à eau et bientôt à l'avant aussi, car personne ne peut endurer à la fois les cris et les disputes absurdes et l'absurde volonté de non-réaction, et il avait vociféré à son tour de façon absurde quand le grand avait pleurniché, regarde ce qu'il vient de faire papa, il a fait des miettes dans toute la voiture, et si on jouait à cracher avait dit le petit, il est dégueulasse, avait crié le grand en tapant le petit, il me crache dessus, Adam avait hurlé, je suis à cent soixante sous la pluie, je vais nous foutre en l'air si vous continuez bordel. La folie avait régné dans la voiture alors que le pistolet à eau était rangé dans le sac d'Irène, laquelle persistait à regarder en silence les paysages d'entrepôts, de panneaux publicitaires et de tôles ondulées avec une raideur de nuque peu commune. Pourquoi ne pas avoir simplement dit, le pistolet les garçons va voyager dans mon sac, il réapparaîtra sur la plage de Saint-Vaast-la-Hougue, avec une voix gentille et même un peu complice, une voix qui aurait gentiment dit, il est terrible papa. Mais la voix gentille n'existe plus. Au royaume du couple, il n'y a plus de voix gentille et sans mémoire. Adam repense à l'analogie couple-maison, une analogie idiote comme toutes les analogies, qu'est-ce que Goncharki peut connaître en matière de couple, un ivrogne ne peut émettre de théories sur aucun sujet bien qu'il n'y ait pas plus friand de théories que l'ivrogne. L'autruche, paraît-il, il vient de le lire, est un grand séducteur. L'autruche mâle a un harem, qu'il réunit paraît-il, après s'être livré à une irrésistible parade nuptiale. Et vous mes pauvres bêtes, pense Adam, en regardant le couple seul derrière le grillage, faites-vous de temps en temps quelque folle parade, vous mes pauvres bêtes qui tremblez sous la bruine dans l'enclos de ciment? Irène aurait voulu être dans l'ombre d'un homme. Une vie réussie pour Irène aurait été de subordonner la sienne à la réussite d'un homme. C'était ça dont Irène avait rêvé, être la créature d'un homme puissant. Être la femme d'un écrivain maudit était pour Irène le pire cas de figure. Avant qu'il ne soit maudit, Irène l'avait soutenu de toutes ses forces, elle l'avait stimulé, encouragé, elle avait partout vanté son excellence et elle avait, pense Adam, véritablement cru à son excellence.

Pouvait-elle se désavouer ? Pouvait-elle accepter le verdict social sans se désavouer elle-même ? D'autant que le verdict social ne tombe pas d'un coup. Le verdict social est pernicieux. Le premier livre avait reçu un accueil plutôt favorable. La démolition du second avait été radicale. Le dernier était ignoré par tous, sauf par Théodore Onfray qui avait rappelé avec une note de scepticisme comment le premier avait été miraculeusement loué. Irène était piégée, elle devait rester solidaire du poète maudit contre le monde. Elle dont le rêve le plus intime était de se sacrifier pour un homme. Se sacrifier pour un homme reconnu aurait été pour Irène une forme d'accomplissement, d'ailleurs elle n'aurait jamais dit *se* sacrifier puisqu'elle n'aurait sacrifié que sa propre part sociale, sa part inutile. Au lieu de quoi, elle avait dû se résoudre au destin auquel des études orientées au hasard l'avaient préparée. Après l'École nationale supérieure des télécommunications et quelques années d'expérience professionnelle, elle avait fait, enceinte de leur premier enfant, un mastère sur les systèmes des radiocommunications spatiales, et travaillait aujourd'hui comme chef de projet, au département Recherche et Développement de France-Télécom, à Issy-les-Moulineaux. Le parcours brillant, pense Adam sur son banc, comme une phrase maintes fois pensée et maintes fois formulée, c'était elle Irène Haberberg qui l'avait eu.

— Au fait, Saint-Vaast-la-Hougue ? dit la voix

d'Albert qui vient de rappeler. — Une catastrophe. — Évidemment. — Où est Martine ? — Dans le supermarché. — Tu es dehors ? — Oui. — T'as rien à foutre. — Comment j'ai rien à foutre ? Et toi ? T'as bouffé des huîtres au moins ? — Tu sais que ce sont les meilleures de toute la façade nord-atlantique. — Qui t'a dit ça ? — Mon copain de Cherbourg. — Les meilleures c'est Cancale. — Saint-Vaast-la-Hougue. — Cancale ou Marennes-Oléron. — Oléron c'est les Charentes ! — Les meilleures c'est Cancale ou Oléron, c'est connu. — Bon, tu m'énerves, ciao.

Une femme sort de la boutique. En haut des marches de la fauverie, une femme est sortie de la boutique. Elle pose ses deux sacs et actionne un parapluie automatique. Adam la regarde descendre l'escalier et on dirait qu'en descendant l'escalier elle le regarde aussi. Adam se replie vers les autruches. On dirait, pense-t-il, fixant les autruches, qu'elle vient vers moi. Il regarde en coin. Elle vient vers lui. Une femme presque souriante, embarrassée par deux sacs et un parapluie s'approche de lui. Marie-Thérèse Lyoc. Adam pense, Marie-Thérèse Lyoc. Et il pense aussitôt, non, pas Marie-Thérèse Lyoc là, aujourd'hui, non. Et il pense, car telle est la fatalité, si.

— Tu me reconnais ?

Elle est debout, n'en revenant pas et pleine d'énergie.

— Marie-Thérèse Lyoc.

On ne peut pas dire laide, pense Adam. On ne pouvait pas dire laide il y a trente ans, ni aujourd'hui, pense-t-il, on pouvait dire à l'époque comme aujourd'hui, insignifiante, encore qu'à l'époque, pense-t-il, personne n'aurait eu l'idée de la qualifier, si cette idée lui vient aujourd'hui c'est que Marie-Thérèse, en surgissant ex nihilo, en prenant forme d'évènement dans le cours d'une journée vouée à la pétrification et aux pensées moroses, est subitement devenue quelqu'un.

— C'est génial, rit-elle.

— Oui.

Il y a un silence. Et puis une bourrasque subite oriente tout vers le pin de Crimée, y compris le parapluie qui devient un plumeau. Adam se lève pour aider, il tente de replacer les baleines, Marie-Thérèse rit dans le vent, luttant avec la toile, elle dit, mais il n'entend pas bien, tu vois je ne change pas, la maladresse incarnée !

— Tu n'en as pas besoin, il ne pleut plus, dit Adam.

Le parapluie retrouve sa forme et le vent s'essouffle.

— Oui, oui. Tu sais que je n'utilise jamais de parapluie. J'ai un petit bonnet d'habitude. Le jour où j'oublie mon bonnet, il fait un vent de l'enfer, j'ai tous les cheveux dans la figure et je tombe sur Adam Haberberg.

Tu tombes sur Adam Haberberg, lui-même chauve, bouffi, bientôt aveugle d'un œil, mon Dieu pense-t-il comme le temps nous ruine.

— Alors Marie-Thérèse, dit-il dans un sursaut, quoi de neuf Marie-Thérèse depuis mille ans ?

— Tu veux une nouvelle fraîche ? Je suis bonne pour les lunettes. Ça y est, depuis ce matin.

— Quel genre de lunettes ?

— Des lunettes de presbyte. Ça y est. Tu portes des lunettes toi ?

— Non.

— Ce qui me fait peur c'est que là ça va encore, elle a frotté le banc humide avec un mouchoir en papier et s'est assise à côté d'Adam, je peux tout lire tu comprends, j'ai un peu mal à la tête, de temps en temps je fronce mais je peux tout lire, j'ai l'impression que dès que je vais mettre les lunettes ça va s'aggraver à vitesse grand V. L'ophtalmologue dit non, mais tu vois bien que les gens qui commencent les lunettes au bout d'un an ne peuvent plus déchiffrer une carte de restaurant.

— C'est vrai…

— Tu me diras, bon, on passe tous par là.

— Eh oui.

— Et toi, alors, alors ?

— Alors…

— Tu es marié ? Tu as des enfants ?

— Les deux.

— Et tu fais quoi ?

— J'écris.

— Des livres ?

— Oui…

— Génial.

— Oui…

— Et ça marche ?

— Ça marche, dit-il pensant quelle vulgarité.

— Génial.

— Et toi ça marche ? Tu fais quoi maintenant ? pensant ai-je jamais su ce qu'elle pouvait bien faire, ai-je jamais su qu'elle existait.

— Je vends des produits dérivés.

Après la thrombose, l'échec du livre et le week-end dans le Cotentin, fallait-il Marie-Thérèse Lyoc ? Après la pluie, le vent, l'absence d'avenir et le pauvre animal des forêts d'Asie, après les efforts considérables pour rester en surface, fallait-il Marie-Thérèse Lyoc qui vend des produits dérivés ? Marie-Thérèse ouvre son plus gros sac.

— Je travaille avec les zoos, les parcs d'attractions et les musées, bon là on est dans un zoo donc tout est personnalisé en fonction des animaux, j'ai des mini-magnets, des magnets traditionnels, des words magnétiques, la pocket-light, tiens, la règle incassable, là on a fait une coule de girafe mais à Giverny il y aurait un tableau de Claude Monet, un bic, pareil, chaque site avec une *imprint* différente, toutes sortes de crayons avec des têtes, là tu as le perroquet, l'ours, avant on faisait des petits animaux mais on n'en fait plus, ils achètent ça en Asie.

Adam actionne la pocket-light, il plie la règle incassable, il contemple la gomme, le petit carnet, le porte-clés, il semble intéressé par la boîte de mini-magnets, elle dit je te la donne, elle dit tu as combien d'enfants, il dit deux, elle dit tiens je t'en donne deux, et deux signets, le chat et la grenouille, elle dit tu es écrivain, tu veux un bic, tiens, Gustave Klimt, ça devrait t'aller, Adam essaie le bic dans les airs, il le trouve désagréable au bout des doigts mais il dit extra, Marie-Thérèse dit avec fierté, la boutique elle n'existait pas, un jour je suis venue à la Ménagerie, j'ai rencontré la responsable de la communication mais il n'y avait aucune structure à la Ménagerie pour acheter des produits, je l'ai harcelée pendant des mois et c'est comme ça que la boutique est née, Adam dit super. Elle referme son sac d'échantillons qui est comme un coffre à jouets, le monde a changé en quelques minutes, pense-t-il, les lunettes de vue, la gomme, le perroquet, il met dans ses poches les mini-magnets, les signets, le bic, le monde apaisant de Marie-Thérèse Lyoc, il se sent comme un malade qui voit au loin les gens sur le trottoir et qui envie le simple passant.

— Et qu'est-ce que tu faisais là ?

— Rien. J'observais les autruches.

— Je viens là depuis des mois, je n'avais jamais remarqué les autruches dis donc.

— Ah oui.

Marie-Thérèse sourit dans le vide. Elle ne semble pas souffrir de cet échange décousu. Il se tourne vers elle, il ne trouve vraiment rien à dire alors il sourit aussi et elle s'illumine, et Adam Haberberg sent monter en lui un désarroi. Il dit, je me suis dégarni, non ? Elle dit, un peu. Un peu beaucoup. Un petit peu mais ça te va bien. Je dois me lever et partir, pense-t-il. Je dois me lever et dire adieu, bonne chance Marie-Thérèse. Il dit, j'ai mis des lotions, j'ai lutté mais tu vois. Elle pouffe, oh là là, vous en faites des histoires ! Il se souvient d'elle, il la revoit dans un couloir du lycée Paul-Langevin, dans un temps englouti, dans un couloir où il n'ira jamais plus, portant sa robe chasuble, portant jour après jour cette même robe à pans se souvient-il, Marie-Thérèse Lyoc, la fille sans visage qu'on traîne dans sa classe pendant plusieurs années, avec qui on finit par marcher dans une rue ou prendre un bus. Un soir elle se retrouve au café avec vous parce qu'Alice Canella qui l'a prise en esclavage dit, vous faites une place pour Marie-Thérèse, alors on fait une place pour Marie-Thérèse qui n'a aucune existence, qui n'est ni brune ni blonde, ni rien. Elle dit, tu fais quel genre de livres ?

— De la littérature de kiosque.

— C'est quoi ?

— Des séries populaires.

Voilà ce qu'il fera désormais pense-t-il, pensant à lui comme à un personnage qui échapperait à son contrôle. Et c'est tellement facile à dire, pense-t-il, je fabrique des livres de gare, comme on dirait je fabrique des articles de passementerie, c'est carré, c'est franc. C'est anonyme. Marie-Thérèse dit, c'est quoi des séries populaires ?

— Des séries, tu vois ce que c'est? Bob Morane? Le Club des Cinq? Tu t'en souviens?

— Ah oui le Club des Cinq!

— Francis Coplan, OSS 117?

— Vaguement.

— C'est des séries.

— Je vois.

— Voilà.

Un enfant passe avec sa mère dans l'allée désertique. Une des deux autruches se redresse et gonfle tout son plumage. Regarde, crie l'enfant, elle a fait caca! Eh oui tu vois, dit la mère. Le sol de l'enclos est plein de flaques, les oiseaux tournent autour, tout est gris. Dans un de ses premiers *Blade*, se souvient Adam, Goncharki avait écrit le mot mitraillette. On ne dit pas mitraillette, s'était outré l'éditeur, on dit mitrailleuse ou pistolet-mitrailleur, vous vous adressez à des gens qui vont lire ça dans le train en retournant à la caserne. Les gens qui me lisent, avait dit Goncharki, le type sur le quai de gare, le type seul dans sa chambre de province, tous les types seuls.

— Et Alice Canella? dit Adam. Il n'aurait jamais voulu dire, et Alice Canella. C'est même la dernière chose qu'il aurait voulu dire. Heureusement le portable sonne.

— Riec-sur-Belon. — Qu'est-ce que ça vient foutre? — Ouistreham. — Saint-Vaast-la-Hougue. — Personne ne connaît. — Comment tu sais? — Martine a demandé au poissonnier. — Dis-lui que le poissonnier est nul. — T'es toujours au Jardin des Plantes? — Oui… Avec une amie. — Tu donnes tes rendez-vous au Jardin des Plantes? — Je n'avais pas rendez-vous. Où est Martine? — Chez le teinturier. Tu viens de la lever? — Non. — Jolie? — Non. — Tirable? — Pour toi oui. — Présente. — Tu as Martine. — Rien à voir. — Bon, on se rappelle.

Ne répète pas ta question, pense-t-il, ne dis pas, et Alice Canella tu l'as revue?

— Et Alice Canella tu l'as revue?

— Tu n'es pas au courant?

— Au courant de quoi?

— Alice est morte.

Au-dessus de l'entrée du bâtiment, il y a une sorte de bas-relief soviétique. De là où il est, Adam voit une femme tirant un cerf pendu à un bâton par les pattes. Alice Canella est morte.

— Quand?

— Il y a vingt ans.

Il croit aussi percevoir le bruit d'une fontaine sur la droite. Il faudra, pense-t-il, aller voir s'il y a vraiment une fontaine derrière les arbustes.

— Elle s'est jetée par la fenêtre.

Marie-Thérèse Lyoc serre gentiment ses jambes. Elle est appuyée sur son sac d'échantillons et supporte le vent humide sans bouger. Marie-Thérèse n'ose plus rien dire. Elle dit quand même, elle était très droguée tu sais, après elle a décroché et elle est devenue grosse.

— Grosse?

— Oui. Vraiment grosse.

Dans la chambre de bonne, pense Adam, Alice Canella dansait avec des longs cheveux blonds et des jambes fines, on écoutait *Little Wing* en boucle, elle dansait sur *You Got Me Floatin'* devant les garçons qui fumaient sur le lit, on était les rois de l'avenir.

— Je ne peux pas l'imaginer grosse.

— Si.

— Marie-Thérèse.

— Oui ?

Il porte la main sur son œil gauche. Il a la sensation que les choses viennent d'empirer subitement derrière l'œil. Il sent comme un tourbillon, une extravasation généralisée – il a retenu le mot – provoquée, pense-t-il, par la rupture des vaisseaux collatéraux qu'il aurait dû, se reproche-t-il, faire analyser et brûler au laser, ayant été parfaitement prévenu que ce réseau circulatoire de fortune serait de mauvaise qualité et qu'il ne fallait pas compter dessus pour supporter les incandescences de la vie, ni ses ténèbres, ni la vie tout court. Ça va ? dit Marie-Thérèse. Il retire sa main et se fixe sur une des deux autruches. Elle a une tête émouvante, pense-t-il, un long cou fin et une tête minuscule par rapport au corps, il la voit distinctement, remarque-t-il, aussi distinctement qu'avant, il sort de sa poche le bic qu'il voit distinctement et le signet grenouille, il les voit distinctement, aussi distinctement qu'avant, n'était-ce l'irréalité qui enveloppe le jour entier. Le trouble n'a pas encore de conséquence physique, pense-t-il. Il s'accommodera s'il le faut des secousses internes, pourvu qu'elles ne viennent pas perturber l'ordre des sens, pourvu que tout reste en l'état.

— Ça va, oui, dit-il.

— Qu'est-ce que tu fais maintenant?

— Maintenant?

— Tout de suite. On ne va pas rester là.

Comment ça, on ne va pas rester là? Pouvait-il prévoir phrase plus extravagante?

— Je rentre chez moi, je t'invite si tu es libre.

— Tu habites où?

— À Viry-Châtillon.

— C'est où?

— Après Orly, en allant vers le sud.

Adam repense à Albert attendant sur le parking d'Eldorauto à Lognes. Pourquoi reste-t-il dangereusement silencieux? Il y a mille façons d'esquiver Viry-Châtillon. Faut-il qu'il soit au bout du rouleau pour s'entendre proposer Viry-Châtillon.

— Tu vis seule?

— Oui.

D'un autre côté, pense-t-il, quelle est l'alternative à Viry-Châtillon? Les enfants devant un dessin animé, vautrés sur un sol jonché de vestiges de Kinder-délice et de Napolitain, le coup de force du changement de chaîne, le début des infos brouillé par les cris de fureur, les cris d'Irène dès son arrivée parce qu'ils ne seront pas au lit, parce qu'ils n'auront ni chaussons ni robe de chambre, l'épuisement d'Irène, la lutte des dents, la lutte du coucher, la leçon de maternité d'Irène qui mènera à ses côtés sa vie héroïque de solitaire et n'aura de propos que domestiques. Alice Canella est morte. Alice Canella était devenue grosse et elle s'est jetée par la fenêtre. Alors, oui ? dit Marie-Thérèse.

— Pourquoi pas ?

— Génial.

Elle se lève.

— J'ai ma Jeep là.

— Tu as une Jeep ?

— La petite Wrangler.

Elle désigne une Jeep noire sur le parking. Marie-Thérèse Lyoc a une Jeep.

— Tu as le droit d'être sur le parking ?

— Ah oui, dit-elle, c'est mon privilège. Même à Versailles je rentre en voiture. Ça m'est arrivé de me faire prendre en photo l'été, parce qu'une fille qui passe sous la grille d'honneur avec les lunettes de soleil et une voiture comme la mienne, les Japonais ils se disent tiens, ça doit être quelqu'un d'important.

Il y a bien une fontaine derrière les arbustes. Une fontaine cachée, dominée par un lion vieillard et vert-de-gris. Il faudrait, pense Adam, appeler la maison. Il s'écarte du bruit de l'eau pour appeler la baby-sitter. Il a froid. Le jour commence à baisser. Dans la Jeep, Marie-Thérèse dit, treize litres et demi au cent c'est un peu gourmand mais c'est correct pour une grosse cylindrée, l'habitacle est entièrement lavable, tu peux passer le jet d'eau à l'intérieur, ça fait drôle la première fois, j'ai toujours aimé les 4 × 4, je ne fais pas de 4 × 4 avec ma voiture, mais je me sens en sécurité, je roule tellement pendant l'année. Adam se sent bien dans la Jeep. Il est heureux d'être en hauteur et heureux d'être conduit. Irène ne prend jamais le volant lorsqu'ils sont ensemble. Il est heureux d'être seul au monde, direction Viry-Châtillon. La famille, une hache, une nuit sans lune, j'en fais mon affaire, avait-il pensé dans la voiture qui roulait vers le Cotentin. Irène était restée muette jusqu'à Caen. L'aîné voulait écouter *Les Loups* pour la quinzième fois. Papa, a dit le petit, est-ce que c'est une chanson de Madonna ? Il est complètement débile ce garçon, c'est Serge Reggiani, tu vois bien que c'est un homme qui chante ! Écoutez les enfants, *Sonate n° 5 en fa mineur*, ce qu'il y a de plus beau au monde. D'habitude je prends l'autoroute, dit Marie-Thérèse, mais là on va prendre la nationale 20 parce que j'ai une petite course à faire à Sceaux. À cette heure-ci, c'est pas tellement plus long. Les Lou-oups, tout de suite ! Apprenez le silence les enfants et regardez le château, il va partir. On arrive quand dans le truc chouette, où on va acheter une Pocket-ball ? Vous voulez que je vous raconte un passage d'*Halloween*, la fille est en train de se coiffer et son frère arrive avec un couteau caché. Je m'en fous, je me fous de vos conneries de Pocket-ball et d'*Halloween*, j'écoute Bach qui me rassure sur le fait qu'il existe une humanité supérieure. Et à cause de vous, j'aurai mangé seize gommes pectorales de réglisse vanillée dont ils disent qu'il faut en manger une tous les deux jours ! Ils s'engagent dans le boulevard de l'Hôpital. Devant la Salpêtrière, Adam pense à son tout premier éditeur, le seul homme qui ait jamais cru en lui. Ce n'est pas une petite chose dans la vie, un homme qui croit en vous. Ça vous donne de la solidité et du courage. Adam se souvient de lui, les cheveux en bataille, les implants à tous vents, la tunique fendue sur le slip blanc, dans cette tunique d'hosto tu ne peux discuter que debout, de face, ou à l'égyptienne sinon t'es foutu. Dans sa chambre du service cardiologie de la Pitié-Salpêtrière, quelque part au fond de ces bâtiments, il disait, tout va bien mes amis, d'après les toubibs, à la fin de la semaine je retourne à Paris. Vous n'êtes jamais *retourné* à Paris, et moi je roule vers Dieu sait où. Voyez ce que je suis devenu, était-ce votre idée ? Un homme qui croit en vous, ça vous tient hors de l'eau. Adam pense à son éditeur disparu. Mourir l'avait remplumé. Les employés des pompes funèbres l'avaient habillé avec une veste neuve choisie par sa femme. Il paraissait lourd. Lourd sur son lit, absurdement endimanché avec des chaussures brillantes. Doit-on être habillé ? pense Adam. Qui m'habillera ? Avec un peu de chance, ça pourrait encore être toi Irène. Parce que nous ne ferons rien, les gens ne partent pas, les gens ne partent pas, ils restent rivés dans l'ennui et la démence. Marie-Thérèse s'est arrêtée à un feu. Les essuie-glaces geignent sur la vitre, la nuit tombe, on ne sait si la pluie persiste ou non. Comment arrive-t-elle à cette coiffure ? pense Adam, notant à son côté la présence d'une femme au volant d'une voiture rouge. S'assoit-elle et dit-elle je voudrais la coiffure de Jeanne d'Arc ? Et tu es connu ? Comme écrivain ? Excuse-moi de te poser la question, dit Marie-Thérèse, je ne suis jamais au courant de rien. Marie-Thérèse, de nos jours, sache-le, mais tu le sais comme ta question le prouve tristement, la pire calamité est de n'être personne. Par conséquent, poursuit Adam, ne sachant d'où lui sort place d'Italie ce ton ahurissant, tout le monde fabrique des livres qui restent la formule la moins risquée pour passer du néant à la lumière. La renommée via la littérature est aujourd'hui l'aspiration la mieux partagée, un nouveau réflexe social, comprends-tu. Certains réussissent, d'autres ratent, personnellement j'ai raté. Je suis un raté. Marie-Thérèse tourne à droite. Ils descendent l'avenue d'Italie. Adam regarde les enseignes comme s'il traversait une ville étrangère. Il note le mot *Naturalia*. Marie-Thérèse conduit la Jeep en silence – on voit qu'elle aime conduire sa Jeep – puis elle dit, tu as raté quoi ? Elle tourne vers lui un visage affligé. En fond, Adam enregistre dans un halo, le stade Charléty. Marie-Thérèse actionne des boutons. Adam accepte le brouillard. Dans cette rue de Suresnes nous marchions, et Alice Canella s'est arrêtée et a dit, tu es mon meilleur ami. Je lui donnais, si elle l'avait voulu, mon temps, mes rêves, ma vie. Elle ne voulait rien, elle a dit, tu es mon meilleur ami. Tu as raté quoi? demande Marie-Thérèse. Et il s'entend répondre, rien qui valait la peine, peut-être.

— Quelle drôle de façon de parler. Nous sommes jeunes encore, dit Marie-Thérèse.

— Je ne crois pas.

— Nous n'avons même pas cinquante ans.

Il est urgent, pense Adam, de sauter dehors et m'enfuir dans la circulation. Au lieu de quoi il sort un petit calepin de sa poche et note avec le bic Gustave Klimt la phrase de Marie-Thérèse. Puis il dit, où vont les animaux de la ménagerie le soir? Est-ce qu'on les rentre?

— Pourquoi devrait-on? Ils restent dehors dans la nature.

— Ils ne sont pas dans la nature.

Il revoit l'animal solitaire des forêts d'Asie, dans son enclos minable, il se sent proche de la bête prostrée. Avec un peu de chance, la brume a enveloppé ton enclos minable, le bruit des voitures du quai Saint-Bernard est comme un grondement lointain. En montagne, on peut passer par-dessus la brume, pense-t-il, en montagne, on monte dans les nuées et à chaque pas le paysage change, et la lumière et les odeurs, et la fatigue, et la félicité, qui n'appartiennent pas au temps, car ces choses sont en dehors du temps, pense-t-il, arrêté boulevard Kellermann. Je n'ai jamais écrit sur la montagne. Des sentiers, des chemins que j'aime, je ne peux parler. Et cette histoire de livres populaires ? dit Marie-Thérèse.

— Ce n'est pas moi qui écris des séries populaires. C'est un ami.

— Ah bon.

— Il s'appelle Jeffrey Lord. Il écrit en moyenne dix livres par an.

— C'est beaucoup.

— Oui. C'est pourquoi je l'aide de temps en temps. J'en écris un ou deux à sa place.

— Ah bon.

Adam relit sur son calepin la phrase de Marie-Thérèse, *Nous n'avons même pas cinquante ans.* Il a entouré le *nous.* Et l'entoure à nouveau. Adam bannissait son dernier livre. En voulant couper le lien avec ses passions personnelles – car il ne voulait pas céder à cette mode abjecte de l'autobiographie – il avait coupé tout lien avec lui-même, se disait-il. Il avait trop pensé, trop combiné, trop réfléchi à la littérature. Le vrai écrivain ne réfléchit pas à la littérature. Le vrai écrivain se fout de la littérature. Il avait voulu se démarquer, ce qui est une autre façon d'étaler son moi sur la place publique. Il avait, savait-il, manqué d'humilité. Le résultat était le récit d'une relation mère-fils, écrit à la troisième personne et du point de vue de la mère. Deux erreurs fatales pour ce qui le concernait. Et quelle erreur, pense-t-il, de conclure à la malveillance d'un Théodore Onfray. Ton seul ami peut-être, le seul qui a pris la peine de te lire et d'en tirer des conséquences, le seul à déplorer ton artificialité et ta faiblesse. Adam n'avait pas totalement menti à Marie-Thérèse Lyoc. Goncharki s'était découvert une aversion pour Richard Blade, le voyageur interdimensionnel qui lui servait de gagne-pain. Pressé, harcelé selon ses mots par l'éditeur, et se trouvant incapable de rendre un titre dans les délais, il avait par jeu proposé à Adam de l'écrire à sa place. Après deux semaines et demie, un record pour un débutant, durant lesquelles il n'avait rien fait d'autre que rester voûté devant son ordinateur, manger des fruits secs et des barres énergétiques, Adam remettait à Goncharki *Le Prince Noir de Mea-Hor*. Goncharki avait parcouru le manuscrit et décrété que c'était, et de très loin, le meilleur *Blade* qu'il ait jamais écrit. Et non seulement le meilleur qu'il ait jamais écrit, mais très probablement, bien qu'il n'en ait lu qu'un seul au début, et dont il n'avait aucun souvenir, le meilleur de tous les *Blade* jamais écrits en Amérique ou ailleurs. Tu es le vrai Jeffrey Lord ! avait-il trinqué. Qui est Jeffrey Lord ? avait demandé Adam, ignorant sous quel nom il venait de publier. Ils avaient pleuré de rire et Goncharki s'était levé pour menacer l'ensemble du bistrot d'une voix churchillienne, car il traversait une période churchillienne, *We are at war ! Now, we are condemned to work each other ruin, and will TEAR your african empire to SHREDS and desert!* Sous la plume d'Adam, le héros interdimensionnel s'était bien sûr un peu décalé de sa stature habituelle et la sous-traitance avait été aussitôt repérée par la *cellule éditoriale*. L'affaire aurait pu se terminer tragiquement sans le charme de Goncharki et la bonne tenue objective du *Prince Noir de Mea-Hor*. Jusqu'à sept heures du soir, Goncharki savait manier les affaires. Le même jour, il négociait son retrait de la série des *Blade*, son entrée dans celle de *L'Exécuteur* qu'il guignait, et son remplacement par Adam Haberberg, incroyablement à l'aise semblait-il dans l'univers galactique. Quatre titres par an, trois mille euros brut par titre, telles étaient les bases de l'offre faite sans plus attendre à Adam. Une offre à laquelle il n'avait pu répondre, et qui aurait dû le dévaster si l'annonce de la thrombose n'était venue balayer la consternation existentielle. Thrombose. Quel mot horrible, pense Adam qui porte la main à son œil et se souvient que la douleur, quoique atténuée, est toujours présente. Moi, dit Marie-Thérèse, je viens de finir la biographie de Léonard de Vinci.

— Ah oui.

— J'aime bien les biographies.

— Tu as raison.

— Il faut vraiment que je cible quand j'ai un rendez-vous. C'est important que le client se dise elle ne vend pas n'importe quoi à n'importe qui. Là j'avais un rendez-vous au Clos Lucé, la maison que François Ier lui avait offerte, j'ai vraiment ciblé mon rendez-vous pour avoir toutes les chances d'ouvrir ce client. J'ai de la chance d'avoir une activité professionnelle qui m'ouvre sur d'autres horizons. Allez, je double, il m'énerve celui-là. Tu sais qu'il y a des spécialistes qui disent que c'est le meilleur tout-terrain du monde. L'attaché commercial aujourd'hui, s'il veut réussir, doit sortir de son petit business.

— Bien sûr, dit Adam qui note le jean de Marie-Thérèse. Et les baskets. En phase avec la Jeep, se dit-il. La coiffure aussi, plus actuelle que le visage. Le reste, le manteau, le foulard, le sac rappellent le transparent lointain de Suresnes.

— Le représentant tel qu'on se l'imagine, dit-elle, en dépassant l'immeuble BaByliss, le type qui est tout seul au restaurant le soir avec sa mallette, qui n'en peut plus, il y en a encore bien sûr, il y en a plein, mais moi je ne suis pas du tout comme ça. Moi je suis épanouie dans mon métier. Les acheteurs le savent.

Les gens qui me lisent, disait Goncharki, le type sur le quai de gare, le type seul dans sa chambre de province, tous les types seuls.

— Les gens qui réussissent dans ce métier, poursuit Marie-Thérèse qui Dieu sait pourquoi, pense Adam, s'engouffre dans cette brèche, mais peut-être a-t-elle senti son regard, sont des gens qui sont ouverts sur le monde et agréables physiquement. Ce qui m'a permis de réussir dans mon métier, c'est d'être vraie, d'être authentique. La fille tailleur-jupe-talons, dans les salons, tu ne la revois pas beaucoup les années suivantes, seuls les gens authentiques restent. On est obligé d'être bien dans sa peau quand on arrive quelque part. Je rentre dans un musée, il ne travaille pas avec moi ce musée, il faut que je lui crée un besoin. Si je veux le convaincre de faire un *corner* avec mes produits, il faut que je me présente avec un discours qui aille au-delà du *corner*. Il faut qu'il ait l'impression que je ne suis pas là pour lui installer un *corner* même si on sait très bien que la finalité c'est d'installer un *corner*. Dans la relation, l'acheteur il veut plus que son petit *corner*, le discours purement commercial, c'est fini.

Des immeubles bas, des bâtiments gris, et des immeubles roses, en brique, en carrelage, et Darty, et Cora, et Mondial Moquette, une route de n'importe quoi dans la brume qui n'a laissé que quelques vapeurs, des petits pavillons dans le sombre, et Speedy, et Laho équipement, et des panneaux tout le temps et le panneau Montrouge et le panneau Bagneux derrière la pluie des vitres. Et Marie-Thérèse Lyoc, pleine d'énergie dans la Jeep chaude. Marie-Thérèse qui roule vers sa maison et connaît tout ça par cœur et s'en fiche, qui n'est pas le genre à penser que le décor de la vie doit être féerique. Marie-Thérèse qui répète des mots qu'il ne comprend pas qui fusent et dansent comme les gouttes lumineuses.

— Tu te souviens de Serge Gautheron ? dit-elle.

— Non.

— Un brun, pas très grand. Son père avait un magasin d'équipement de sport à Rueil, Serge Gautheron tu vois pas ?

— Plus ou moins.

— On s'est mariés.

— Tu es mariée ?

— Je suis divorcée mais on a été mariés pendant huit ans.

Je ne donne pas suite, pense Adam, je ne donne pas suite à cette information grotesque, je me concentre sur la route, une route entièrement dédiée à l'automobile, une route de garages, de pompes à essence, de stations de sécurité et d'entretien, je me concentre sur les vendeurs de véhicules neufs et d'occasion, je me concentre sur les carrossiers, les vendeurs de pneus et de pièces détachées, je ne veux pas entendre la vie de Serge Gautheron et Marie-Thérèse Lyoc, je ne veux rien savoir de ces spectres du passé. Il se rappelle avoir erré dans une casse à Carrières-sur-Seine à la recherche d'une aile blanche de Passat. Il se rappelle le terrain vague, le type dans sa cabane sentant le tabac et le chien jaillissant de nulle part, aboyant, attaché à une chaîne très longue, sans fin.

— J'ai même une photo de vous deux, dit Marie-Thérèse, une photo de classe de première je crois.

Bien sûr elle a gardé les photos de classe, se dit-il. La série des photos de classe que sa mère

aussi a toujours gardées, comme ses dents noir-
cies dans une boîte en fer. Les photos de classe
qui le montrent toujours triste et laid, et de plus
en plus triste pensait-il, et de plus en plus laid au
fur et à mesure des années. À chaque fois les
autres avaient l'air mieux sur ces photos, se
disait-il, chez moi on pouvait toujours noter
quelque chose de bancal, le faux sourire, les cheveux mal placés, un élan faux du corps. Il n'y a
pas eu une seule bonne photo de classe, pense-
t-il, et ma mère les a toutes gardées, approuvant
chaque année cet air d'avorton, approuvant sans
préjugés la montée en grade de son garçon,
ayant tout conservé, dents, cahiers, cadeaux de
fête des mères, pour aboutir, depuis que je suis
grand, au désintérêt le plus total. Adam ne veut
pas voir la photo de classe avec Serge Gautheron,
qui dit Serge Gautheron, dit Alice Canella, dit
Tristan Mateo, sait-il. Alice Canella est morte. Je
ne veux pas voir le visage de Tristan Mateo. Je ne
veux pas me revoir à côté de Tristan Mateo et
d'Alice Canella. Je ne veux pas contempler avec
Marie-Thérèse Lyoc l'épitaphe de ma jeunesse.
Je veux Bourg-la-Reine, Peugeot, Champion et
Volvic, je veux faire un contrôle technique, je
veux acheter de la moquette et du papier peint.
Alice partait en vacances avec Marie-Thérèse, se
souvient Adam. Au retour, Marie-Thérèse faisait
son importante parce qu'elle savait des choses
que personne ne savait. Qu'elle ait pu elle-même

avoir une vie sentimentale ne passait par la tête de personne.

— Vous étiez déjà ensemble au lycée ? dit-il, soudain stimulé par l'idée.

— Ah, ah, fait Marie-Thérèse en riant. Un rire complètement asexué, pense-t-il, un petit rire de gorge incongru, la voilà qui refait son importante se dit-il. Je dois faire un crochet au château de Sceaux, juste déposer un paquet, continue-t-elle, tournant à droite et s'engageant dans une allée bordée d'arbres.

Marie-Thérèse marche dans la nuit vers le château. Adam est resté dans la Jeep, garée sur le parking pavé. Le portable sonne. — C'est moi, dit Irène, Maria me dit que tu ne rentres pas. — Non. — Qu'est-ce que tu fais ? — Je vois une ancienne amie de classe. — Parfait. — C'est vrai, je te jure. — Tu es où ? — À Sceaux. — À Sceaux ? — Et après je vais à Viry-Châtillon. — Tu fais ce que tu veux, je m'en fous. Tu as eu les enfants ? — Non. — Appelle-les au moins. — OK.

Adam appelle ses fils. La pluie a cessé. Le parc semble beau, et le château aussi. Il faudrait venir un jour avec les enfants, pense-t-il, tandis qu'il parle au petit et se demande combien de fois dans sa vie il a pensé qu'il faudrait un jour faire ci ou ça avec les enfants, en sachant qu'il ne le ferait jamais. — Et de quoi vivent-ils ? demande-t-il au grand. — De chasse… — Oui. De chasse et… ? La même chose dans l'eau ? — De pêche. — De pêche et… ? — Et je sais pas papa, j'en ai marre, on va pas faire la leçon au téléphone ! — Et de cueillette. Et quelle est la différence entre histoire et préhistoire ? — L'écriture, zut. — L'écriture, bravo. La préhistoire retrace l'avancée humaine *avant* l'apparition de l'écriture. — J'ai mon feuilleton qui commence ! — Les premières formes d'écriture sont très anciennes, en moins trois mille tu as les premières traces d'écriture. C'est très important que tu comprennes l'évolution et que tu saches te repérer. Je ne veux pas que tu fasses comme moi qui suis passé directement des Neandertal aux Mésopotamiens, je suis passé d'un seul coup des types velus des cavernes aux princes assyriens sur des chars dorés, c'est quoi ce bruit, pourquoi il hurle ? — Il est tombé avec le lampadaire. — Qu'est-ce qu'elle fait Maria ? Pourquoi elle le laisse jouer avec ? — T'arrête de crier imbécile, j'entends rien ! — Il s'est fait mal ? — Mais non papa, tu sais bien qu'il crie pour un rien. Mon feuilleton commence. — Je t'embrasse. Révise encore un peu le harpon et la sagaie. — Au revoir papa, je t'aime.

Sur le parking pavé du château de Sceaux, c'est-à-dire immensément loin de tout, c'est-à-dire au diable, c'est-à-dire là où rien d'obligé ni de cohérent ne nous amène, nous nous sentons presque paisible, pense-t-il, comme soulagé de la vie. En faisant descendre l'art dans la rue, avait dit et répété Goncharki, le crime le plus abject, on a fait croire au premier venu qu'il pouvait être un artiste. Le premier venu n'a aucune raison de se méfier, il habite un monde qui chaque jour lui dit, exprimez-vous, imposez votre moi. Le premier venu, avait dit Goncharki, éprouve les mêmes tourments que l'artiste authentique, la vulnérabilité, l'inquiétude, la difficulté de créer, car tout ceci relève de l'homme et non de l'artiste. Il est vite admis dans la communauté de ses pairs, ignorant qu'il ne peut y avoir de communauté d'artistes, car l'artiste, et l'écrivain en particulier, avait dit Goncharki, bien que nous sachions vous et moi qu'il s'agit d'une branche faible du genre, est un solitaire qui ne veut pas se mélanger et ne reconnaît ni égal, ni confrère. Dans notre société, le premier venu n'a aucun repère. On ne peut pas le blâmer de se croire légitime. Quand vous écrivez des romans de gare, vous avez pris la mort pour horizon. Vous êtes un mercenaire, vous n'avez plus de nom et vous répétez à l'infini un geste sans écho. Adam fait un rond sur la buée de la vitre et regarde là où il n'y a rien à voir. Au revoir papa, je t'aime. Combien de temps encore ces mots ensoleillés ? Dans la rue, lorsqu'il part à l'école, au petit matin, le grand crie je t'aime à son père qui le regarde traverser depuis la fenêtre. Il crie je t'aime, au coin qui le fera disparaître, au-dessus des passants et des voitures, et son père, penché en haut, envoie un baiser, et répète les mots d'une voix sourde et honteuse. Un père qui aurait pu en être un autre, un père qui est aussi, en quelque sorte, le premier venu des pères, car il sait bien que ce je t'aime ne lui est pas destiné à lui Adam Haberberg, l'homme qui se tient à la fenêtre, pas rasé et se sentant vieux, mais à sa figure dans le cours du temps, comme il doit au cours du temps d'être parfois *le meilleur papa du monde* ou le plus méchant. Un jour, pense-t-il, on n'entendra plus l'enfant qui ne sait rien de vous et préfère les feuilletons, crier dans la rue je t'aime. Un jour, le temps effacera sur le trottoir le garçon claudiquant avec son gros cartable et l'homme qui fait des signes amicaux dans son manteau d'incertitudes.

Adam compose le numéro d'Albert.

— Je suis à Sceaux. — À Sceaux ? — Et après, je vais à Viry-Châtillon. — Joli. — Tu fais quoi toi ? — Je suis dans la cage d'escalier. Je sors le king-charles de Martine. — Elle a un king-charles ! — Il n'y a pas plus laid au monde que ce chien. C'est un type à qui on a enlevé la thyroïde à coups de serpe. — Tu vas te promener seul avec le king-charles ? — Les trois quarts du temps je le garde dans mes bras, il n'aime pas marcher. Je le pose quand il veut chier. — Pourquoi elle a un king-charles ? — Elle aime les king-charles. — Tu ne peux pas garder une fille qui travaille à Eldorauto à Lognes et qui a un king-charles. — Tu as raison. — Largue-la. J'ai quelqu'un pour toi. — Qui ? — Marie-Thérèse Lyoc. — Gros seins ? — Pas mal. — Présente.

Adam remet le portable dans sa poche. Dans

les lumières hésitantes du soir, des ombres sortent du parc. Adam couvre son œil de sa paume. Il faudra, pense-t-il, expliquer à l'ophtalmo l'évènement de ce soir. Il faudra trouver le mot exact, il faudra l'orienter avec un soin précis vers une nouvelle appréciation de la situation. Il faudra trouver le mot exact et ensuite, à défaut de pouvoir choisir celui qui est juste en dessous dans l'échelle de l'impact, car le barème des mots est grossier, il faudra le tamiser d'un adjectif car il est fondamental, juge Adam, fondamental de ne pas affoler l'ophtalmo. J'ai senti docteur, de façon subite, un désordre… non… une douleur… non, ce n'est pas une douleur… une dislocation, oui, une *certaine* dislocation, comme si mes vaisseaux docteur se séparaient de l'artère et allaient s'éparpiller sans but dans des endroits aberrants. Serait-ce la fameuse extravasation dont vous m'avez parlé et dont le nom me poursuit ? Ma vision n'en a pas été affectée, ce qui est bon signe n'est-ce pas docteur, comme si mon œil ne voulait rien savoir de ce qui se tramait derrière lui, comme si mon œil avait pris une sorte de contre-pied métaphysique, qu'il s'était élevé au-dessus des organes et dit, jusqu'au bout tu verras, même si tu n'es plus irrigué, même si plus rien ne te lie aux racines de la vie tu verras, jusqu'à ce que ta paupière tombe le monde sera net. J'aimerais notez docteur, qu'il en aille de même pour moi tout entier. Car cette sensation de dislocation je l'éprouve dans mon existence même, comme si les éléments qui la composaient n'étaient plus reliés entre eux, ni à un moi unique, comme si un de mes fragments pouvait à tout moment et n'importe où, partir à la dérive vers les lointaines périphéries où je suis perdu. Croyez-vous docteur que le monde puisse rester net lorsque vous allez vers l'avenir sans aucune perspective de joie car vous n'êtes plus assez entier pour la saisir. L'autre jour nous sommes partis, mes enfants, ma femme et moi passer un week-end à Saint-Vaast-la-Hougue. En sortant la valise et les sacs de l'ascenseur, j'ai pensé à certains récits d'exil, de fuites précipitées, et j'ai pensé docteur que ce devait être moins douloureux que ce départ vers le Cotentin, j'ai pensé que la fatalité est plus légère que le devoir de bonheur. En soulevant, en bas de l'escalier la valise des vacances, je soulève la lourdeur de la vie. Mon premier éditeur était un homme doux, petit de taille. Il était chauve et s'était fait poser des implants complètement ratés. Je suis passé hier devant l'hôpital où il est mort. J'espère que vous ne voyez pas d'inconvénients à cette petite bifurcation docteur. Après tout, qui nous dit que la thrombose qui nous occupe aujourd'hui est sans rapport avec mes commencements d'écrivain ? Mon premier éditeur croyait en mon avenir. Ce n'est pas une petite chose dans l'existence, quelqu'un qui croit en votre avenir. Ça vous donne du souffle et du courage. Dans son journal écrit à la Salpêtrière et que sa femme avait photocopié, il y avait ces phrases, « Finalement, je suis le témoin impuissant du délire d'autodestruction qui emporte mon cœur… C'est le corps, notre corps qui est le fondement ultime et majeur de notre être… Adam Haberberg m'a apporté un poste de radio, un de ces gestes de haute sollicitude qui rend habitable la nuit ». Alors peut-être a-t-il englouti mon avenir avec lui ? Dans une de ces poignées de terre jetée sur le bois, mon avenir effrité dans la fosse. Vous m'avez prescrit du Veinamitol docteur, lorsque j'en ai informé le professeur Guen, il a eu un petit geste de la main, de ces gestes qui indiquent une bienveillante indifférence et a dit, vous pouvez toujours en prendre. J'ai cette naïveté docteur, de penser que le patient doit croire aux vertus de son médicament pour qu'il soit efficace. J'avais lu la notice du Veinamitol, je suis un grand lecteur de notices, et je m'étais senti encouragé par la netteté des indications. Le professeur Guen m'a fichu en l'air le Veinamitol. Je continue à le boire par superstition et aussi parce que je ne saurais affronter les perspectives de ce dysfonctionnement sans aucun soutien fût-il absurde. Et laissez-moi vous dire en passant que ce n'est pas sa Spéciafoldine, un médicament pour femme enceinte, qui peut me stimuler. Supprimer le Veinamitol docteur, c'est admettre *officiellement* qu'il n'y a rien à faire, ni pour cet œil, ni pour l'autre, qui pourrait aussi bien être attaqué à son tour, ni pour aucun autre endroit de mon corps où il plairait à un vaisseau de s'obstruer. Dans la notice, je pouvais lire « augmente la *résistance* des vaisseaux, diminue leur perméabilité ». J'aimais augmente et diminue, deux verbes francs et dynamiques, et j'aimais surtout résistance. Cette notice m'autorisait un semblant d'optimisme docteur, elle agissait comme ces résolutions que nous prenons en début d'année, lorsque nous nous disons, cette année tu feras ceci et tu ne feras plus cela, lorsque nous énonçons les propriétés de notre volonté contre le chaos de la vie. Au fait docteur, ne doit-on pas au Veinamitol d'avoir dompté le phénomène de dislocation ? N'est-ce pas ! C'est ce que je me suis dit hier pendant la crise, je me suis même arrêté dans une pharmacie étant loin de chez moi et n'ayant pas mon sachet du soir. Qu'est-ce qu'il y connaît ce Guen en médecine générale ? Qu'est-ce qu'ils y connaissent ces pontes en matière de protection ? Vous docteur, vous êtes sur le terrain du tous les jours, quand vous dites Veinamitol vous savez de quoi vous parlez, et je trouve inadmissible qu'un Guen, chez qui vous avez eu à cœur de m'envoyer déjà *fortifié* par votre prescription, puisse la dénigrer avec autant de frivolité. J'ai le sentiment que vous m'aimez bien docteur. Ou bien dois-je attribuer votre sollicitude au fait qu'il est de triste pronostic qu'un homme de mon âge fasse un accident vasculaire. Toujours est-il que je sens chez vous, lors de mes visites, une sorte de plaisir à me voir. J'ai la pré-

tention de croire que vous n'avez pas toutes les
cinq minutes un client avec qui vous pouvez plaisanter et même rire du pire, avec qui vous pouvez
parler littérature et musique, j'apprécie en vous
ce désir de culture qui d'ordinaire m'exaspère
chez les gens de ma sphère. Que vous m'aimiez
bien docteur, est aussi essentiel à ma rémission
que le Veinamitol car l'homme qui arrive sur
votre palier et appuie sur votre sonnette est un
homme qui tremble de peur. Il veut plaisanter,
il veut discuter livres et musique, il se jetterait
sur la pêche si besoin, le foot ou le bricolage,
n'importe quoi docteur qui vous captiverait et
rendrait anachronique l'annonce de ma nuit
prochaine. Pour rester ce qu'il est, c'est-à-dire
invulnérable, le Prince de Mea-Hor ne doit être
aimé de personne. J'ai écrit *Le Prince Noir de Mea-
Hor* en deux semaines et demie, un livre anonyme qu'on ne pourra trouver que dans les gares
ou certains kiosques. En m'illustrant, comment
dirais-je, *a contrario*, à travers ce personnage qui
doit rester émancipé de l'affection des autres,
j'ai mis docteur, plus de moi-même dans cette
œuvre de commande que dans n'importe quel
autre de mes livres. J'ai fabriqué l'anti-Adam
Haberberg, un anti-Adam Haberberg né de ma
propre plume, qui me donne aujourd'hui le
courage de vous signifier ma faiblesse, de vous
dire aimez-moi docteur, protégez-moi docteur,
sauvez-moi.

Marie-Thérèse court. Je n'ai pas été trop

longue, dit-elle, tu n'as pas froid ? Elle actionne des boutons et démarre. Tu n'as pas l'air bien.

— Je suis très bien Marie-Thérèse.

— C'est quand même génial de s'être retrouvés.

— Oui.

— Alors pour répondre à ta question, dit Marie-Thérèse avec un petit air, tandis qu'ils descendent la route du château pour rejoindre la nationale, nous n'étions pas ensemble au lycée.

— Qui ?

— Serge et moi.

— Ah bon, dit Adam qui essaie en vain d'entrevoir Serge Gautheron.

— On n'était même pas tellement amis. Il était dans l'équipe de rugby avec Tristan, je ne sais pas si tu t'en souviens, on allait jouer les supporters à Bagatelle. Je l'ai revu par hasard en faisant un stage chez Canon, trois ans après le bac. C'est ça qui est drôle.

— C'est drôle, oui.

— Quand on s'est mariés, on a repris la boutique de ses parents, à Rueil-Malmaison.

— Ça n'a pas marché ?

— Nous ou la boutique ? rit-elle.

— Les deux. La boutique.

— La boutique marchait super-bien. Mais on en a ouvert une autre à Bercy 2 qui n'a jamais démarré. Il a fallu qu'on puise dans Rueil pour faire vivre Bercy. Bercy c'est un centre commercial, la clientèle ne fonctionne pas de la même manière. Si ta vendeuse est bonne, tu fais du chiffre, si elle n'est pas bonne tu fais rien. On a eu les deux pendant deux ans, ça a été une catastrophe. Bercy 2 on l'a vendu, Rueil on a déposé le bilan très peu de temps après.

— Comment tu t'es retrouvée à Viry-Châtillon ?

— À Bercy, je m'étais fait des relations et on m'a proposé de gérer une boutique de prêt-à-porter en franchise Caroll à Juvisy-sur-Orge. D'abord j'ai habité Juvisy et après Viry.

Adam essaie d'analyser les seins de Marie-Thérèse. On ne peut rien observer sous le manteau. Dans la rue d'Antony il y a tout ce qu'on veut, il y a un coiffeur, un serrurier, un opticien, un cours des halles, une pharmacie. Je dois acheter quelque chose à la pharmacie, dit-il.

C'était difficile toute seule, dit Marie-Thérèse en tournant devant Buffalo Grill, je n'étais pas habituée à gérer une boutique seule, gérer le personnel, choisir la marchandise, courir la remplacer pour faire plaisir à des clientes, tu dois t'occuper de tout, si t'es pas là c'est du petit bricolage. J'avais envie d'être plus indépendante, d'être plus libre dans mes horaires. J'ai donné ma démission au bout de trois ans et je suis restée pratiquement deux ans sans emploi. À travers la fenêtre, des hangars, des hangars, des grues, des grues, des pavillons, Maxauto, Auto Distribution, Hertz. À travers la fenêtre, les entrepôts, les pylônes, la lande rayée d'électricité. Ils roulent sur l'autoroute, direction Savigny-sur-Orge. La boîte neuve de Veinamitol est sur les genoux d'Adam. Marie-Thérèse parle de sa vie. L'œdème *peut* mettre de douze à dix-huit mois à se résorber, a dit l'ophtalmo. Adam entend l'œdème peut mettre de douze à dix-huit mois à se résorber virgule et peut aussi ne jamais se résorber. Le *peut* induit ce rythme dans la sensibilité d'Adam. C'est une phrase ouverte sur la tragédie. Pourquoi l'ophtalmo ne dit pas l'œdème va mettre, etc. parce qu'il s'interdit la formule affirmative, et pourquoi s'interdit-il la formule affirmative, parce que la résorption de l'œdème est en soi incertaine, parce qu'il n'y a rien de plus incertain que la résorption de l'œdème. Lorsque l'ophtalmo dit l'œdème peut mettre de douze à dix-huit mois à se résorber, il dit nous devons attendre plusieurs mois pour savoir si l'œdème, ce corps coriace et imprévisible, nous fera la grâce de se résorber. Nous, c'est-à-dire vous, moi, le professeur Guen et toute la Faculté devons patienter le temps d'une révolution complète de notre planète autour du Soleil pour savoir de quel côté les astres vont incliner, à ce compte, pense Adam, pourquoi ne pas tout de suite aller consulter un marabout. Au départ sept mille francs nets plus des primes sur objectif, continue Marie-Thérèse, aujourd'hui quand tout va bien je gagne à peu près quatre mille euros. En hiver, il y a moins de touristes sur les sites. Quand on rentre dans la période de septembre à mars qui est la mauvaise période, je mise sur les Japonais. Les Japonais voyagent toute l'année. Tout le business en France, c'est moi qui l'ai fait. Grâce à ce que j'ai fait en France, la société, qui est une société américaine, a embauché un responsable commercial en Espagne et un autre en Italie, on a développé un business européen qui était inexistant. Au départ j'ai été embauchée pour vendre des objets publicitaires. J'ai été embauchée un premier janvier, il y a cinq ans. Au mois de mars, j'avais fait zéro chiffre d'affaires. Les Américains tu rigoles pas, c'est des gens qui veulent des résultats. Par hasard, en allant au château de Versailles avec mon filleul, j'ai fait mon premier compte, ça m'a donné l'idée de me spécialiser dans les sites historiques et de faire du souvenir plutôt que du publicitaire. Ensuite j'ai ouvert un autre client à Chantilly et après ça a démarré sur les chapeaux de roues. J'ai fait tout le business en France. C'est super, dit Adam. C'est super, c'est vrai. J'adore mon activité professionnelle. C'est la première fois de ma vie que je suis aussi épanouie dans un boulot. Le brouillard passe encore, et un peu la pluie aussi. Adam aime bien être trimballé dans la nuit, la pluie, le chaud, les périphéries tristes. Marie-Thérèse enlève son manteau. Une poitrine albertienne, pense Adam qui est à deux doigts de l'appeler avant de se souvenir qu'il ne peut pas parler. Une poitrine lourde et proéminente dont il n'avait aucun souvenir n'ayant d'ailleurs contrairement à Albert jamais été friand de poitrines lourdes et proéminentes. Adam repense au dernier grand drame avec Irène. Peut-être le drame final, se dit-il. *Je t'envoie mon coursier*, avait dit Adam au téléphone à Albert, parlant d'Irène. En allant à Issy-les-Moulineaux, Irène passait rue de la Convention où habitait Albert. Un coursier avec des petits seins, avait plaisanté Albert à l'autre bout du fil. Il dit un coursier avec des petits seins, avait répété bêtement Adam. Je l'emmerde, avait répondu Irène. Il dit qu'il les regardera quand même. Ça m'étonnerait ! s'était drapée Irène. *À condition que tu mettes tes lunettes de myope !* avait ricané Adam dans le combiné. Je vous emmerde, avait dit Irène, d'autres ne s'en plaignent pas ! Et elle était sortie de la pièce en claquant la porte. Comment ça, d'autres ne s'en plaignent pas, qu'est-ce que ça veut dire, d'autres ne s'en plaignent pas ?! avait crié Adam en la poursuivant à l'autre bout de l'appartement. Est-ce que tu réalises, avait pleuré Irène, couchée à plat ventre sur le lit et tournant vers lui un visage de démente, est-ce que tu réalises la vulgarité de cette conversation ?! Ne change pas de sujet, je veux savoir qui sont ces *autres*, je veux savoir immédiatement ce que signifie cette phrase ! Tu trouves normal de discuter au téléphone des seins de ta femme ?! Irène, tu t'es trahie et je suis capable d'atteindre des extrémités dont tu n'as même pas idée ! Tu trouves normal de plaisanter sur mes seins avec un connard qui n'aime que les putes et les manucures, un parasite réputé pour son néant intellectuel qui bouffe des sprats à huit heures du matin ?! On se fout d'Albert, ne détourne pas la conversation ! Demande pardon, avait hurlé Irène, demande pardon à genoux, dis je ne parlerai plus jamais des seins de ma femme avec qui que ce soit ! Je te tuerai de toute façon ! avait répondu Adam. Qu'est-ce que tu attends ? Ne me pousse pas Irène ! Pour la vie qu'on mène, tu peux y aller ! l'avait-elle provoqué à genoux sur le lit et offrant son cou. Adam entend la voix qui dit serre, serre, il revoit les jambes qui s'agitent, il entend la voix du petit qui dit qu'est-ce qu'il se passe et la sienne qui ordonne laisse-nous, laisse-nous, ferme la porte. Et là-dessus le grand arrive et dit vous êtes dingues, et se met à pleurer suivi du petit et Adam a envie de les buter tous.

Si tu ne comprends pas l'autodestruction chez un homme, tu ne comprends pas les hommes, avait-il dit, se souvient-il, lors de ces discussions infernales qui suivent les crises. Mieux vaut la tragédie pure, pense-t-il, que ces écœurantes mises à plat. Il faudrait comprendre cette manie de parler, cette manie des femmes de toujours vouloir parler. Ce besoin ignoble d'explication. Si on considérait la fadeur et la rareté de leurs relations sexuelles, il était cohérent qu'Irène ait un amant. Adam luttait contre cette hypothèse amère. Adam ne voulait pas de mots sur cette hypothèse amère. Et s'il lui prenait un accès de folie ou de férocité, il ne voulait pas le commenter. Folie oui, discussion non. Irène l'accusait de jalousie irrationnelle, où te mène, disait-elle, cette jalousie irrationnelle? Adam n'entendait pas *irrationnelle* comme infondée, il l'entendait comme absurde étant donné notre peu d'appartenance l'un à l'autre désormais. Une jalousie *illégitime*, pense-t-il dans la Jeep Wrangler, voilà ce qu'il entend. Un mot terrible qu'il pourrait étendre à l'ensemble de sa condition, pense-t-il dans la Jeep Wrangler, car un homme doit être reconnu pour ce qu'il voudrait être, qui suis-je, pense-t-il, contemplant à travers les vitres la nuit salie de brume, sinon un chef de famille illégitime, un écrivain illégitime, en d'autres termes, pense-t-il dans la Jeep à moitié arrêtée par la circulation sur l'autoroute A6, un homme illégitime? Tu as des enfants? dit-il à Marie-Thérèse.

— Non, malheureusement, non.

— Tu aurais voulu?

— Oui.

— Pourquoi tu n'en as pas eu?

— C'est comme ça.

— Serge Gautheron ne voulait pas?

— Si.

— Vous n'avez pas pu? dit-il, sachant qu'il aurait dû s'arrêter deux répliques plus haut.

— Si.

— Qu'est-ce qui s'est passé? demande-t-il, impatienté par sa voix amenuisée.

— J'ai perdu le bébé, deux fois.

— Tu as fait deux fausses couches ? la reprend-il, horripilé par le ton et le mot bébé.

— Oui.

— Pour quelles raisons ?

— On ne sait pas. Souvent il n'y a pas de raison.

— Vous n'avez pas continué ?

— Si.

— Je n'ai pas entendu.

— Si.

— Et avec d'autres, t'as pas essayé ?

— Si...

À quoi riment cette mièvrerie, ce timbre moribond, à quoi rime cette avarice de parole ? L'existence est cruelle, bon, pas la peine d'en rajouter en chevrotant, pense Adam.

— Ça n'a pas marché ?

— Non...

Encore faut-il trouver le type qui veut faire un enfant à Marie-Thérèse Lyoc, se dit Adam. Mais non, pense-t-il aussitôt, à la sortie de l'école on peut voir des dizaines de Serge Gautheron et de Marie-Thérèse Lyoc, en réalité les Lyoc et les Gautheron pullulent, on peut même, se dit-il, considérer les Lyoc et les Gautheron comme le prototype des parents, ces obscurs qui s'épousent entre eux, qui n'ont quitté les bancs de l'école que pour s'installer à sa sortie, le trottoir est occupé par les Lyoc et les Gautheron, ces gens d'aujourd'hui, énergiques, facétieux, ultra-concernés. Marie-Thérèse a mon âge, pense Adam. À quarante-sept ans, Marie-Thérèse Lyoc peut dire adieu à l'enfant. Adieu à l'enfant, pense Adam, comme moi je dis adieu à la gloire, tôt ou tard, pense-t-il, nous disons adieu à l'avenir, nous abordons le temps où l'existence n'exigera plus rien de nous, où il n'y aura plus à être pères, mères, amants, écrivains, beaux, épanouis, heureux. Nous nous asseyons sur un banc et nous nous trouvons dans la position de l'hospice. Un beau jour on s'assoit et ça y est, on se fout d'être Adam Haberberg ou Marie-Thérèse Lyoc, on sait bien que ça revient au même, comme d'être Alice Canella, à quoi ça a servi d'être Alice Canella pour finir obèse et éclatée sur le sol. Marie-Thérèse a actionné les essuie-glaces grande vitesse. Et quelle est la finalité mon Dieu, se demande-t-il, de ce périple dans la Jeep absurde, derrière les zigzags d'eau et de lumière, vers un Viry-Châtillon dont le seul nom m'accable. Je m'occupe beaucoup de mon filleul, dit Marie-Thérèse, peut-être a-t-elle dit d'autres choses entre-temps qu'Adam n'a pas entendues, en tout cas, constate-t-il, elle a retrouvé un timbre normal. Il habite à Soisy-sur-Seine, c'est plus loin, plus dans le sud, avec sa mère qui est ma meilleure amie et qui est instructeur à la tour de contrôle, à Orly. Il a onze ans mon petit filleul, il s'appelle Andréas. Devine ce qu'il veut faire plus tard.

— Pilote.
— Pas du tout.
— Terroriste.
— Dentiste.

— Il n'est pas un peu curieux cet enfant ?

— Il est passionné de dents. Depuis des années, il est passionné de dents. Maintenant qu'il a des bagues, il veut être orthodontiste. Pour son anniversaire on a dû lui trouver un crâne articulé. Mais il en voudrait un vrai avec des dents mal fichues. Le problème du crâne en résine c'est que la dentition est impeccable. Lui, il veut faire des expériences, il veut faire des moulages, il veut fabriquer un appareil. Je me suis renseignée, tu peux trouver des crânes au cimetière de Montrouge, les fossoyeurs en vendent sous le manteau, il suffit de se faire passer pour un étudiant. Je ne sais pas si je dois lui acheter un vrai crâne. Je me pose la question. Qu'est-ce que tu en penses ? Est-ce que c'est sain qu'il ait un squelette dans sa chambre à onze ans ? D'autant qu'il ne lit que des livres de vampires ou de morts vivants.

— C'est plus sain que de vouloir être dentiste.

— Je crois pas que c'est bien qu'il puisse considérer le corps humain comme un jouet. Et je crois qu'il faut lui apprendre le respect de la mort. C'est important que les enfants aient la notion du sacré. Moi personnellement, je n'aimerais pas qu'on aille profaner mon crâne pour qu'il se retrouve sur une étagère à côté d'une gameboy, avec un appareil dentaire. D'un autre côté, je comprends sa curiosité, c'est un enfant qui est tourné vers les sciences, il veut toucher la matière, il veut observer du réel. Il est insatisfait avec le crâne en résine. Tu vois c'est terrible, dès qu'il pleut on est dans les embouteillages. Le crâne en résine, c'est l'homme idéal, c'est le modèle. C'est pas l'homme. Je dis à Andréas, qu'est-ce qui t'intéresse aujourd'hui Andréas, ce qui t'intéresse c'est la forme, c'est le mécanisme, c'est comment les choses sont assemblées. L'homme, tu as toute ta vie pour l'explorer. L'imperfection de l'homme, tu as toute ta vie pour la redresser. Tu veux observer une mâchoire qui a servi, tu veux des dents qui ont mâché, il veut des dents qui ont mâché, tu veux des mandibules qui se sont agitées, mais je lui dis tu oublies que derrière tout ça il y a quelqu'un qui a traversé l'existence. Je lui dis dans cette boîte mon chéri, il y avait des rêves et des tourments, et nous ne savons pas où sont passés ces rêves et ces tourments, nous ne savons pas ce qu'il est advenu de ce bouillonnement qu'il y avait là. Quand on est allés à Versailles, ou à Chambord que tu as adoré, il adore les châteaux, surtout Chambord, il a adoré Chambord à cause des escaliers, je lui dis, tu as visité les chambres et les corridors, et les salons, et toutes ces pièces étaient vides, et ç'aurait pu être barbant pour un petit garçon cette enfilade de lieux désertés, sans aucun objet personnel, mais tu te disais, là, le roi a dormi, là, il a regardé par la fenêtre et il a vu cette forêt, combien de fois a-t-il gravi ces marches, et les courtisans et les soldats, et tu honores ces lieux Andréas, parce qu'ils ont vu ce que tu ne verras jamais, parce qu'ils ont abrité des mondes que tu ne connaîtras jamais. Un vrai crâne, je lui dis, c'est la même chose, ce n'est pas un outil mon chéri, c'est une chambre abandonnée, c'est une énigme.

Pourquoi moi, pense Adam, pourquoi me dit-elle tout ça à moi ? Ce pauvre enfant s'est jeté dans la dentisterie avant de passer à la perversité grandeur nature, il est évident que ce garçon tôt ou tard finira par dépecer ses victimes avant de les congeler, un garçon qui veut être orthodontiste à onze ans, qui réclame un squelette pour son anniversaire, et qui par-dessus le marché, se dit-il, doit endurer (de quoi précipiter n'importe qui dans la folie) ce flot de catéchisme.

— Marie-Paule, entend-il, récupérant Dieu sait où la démonstration (qui est Marie-Paule ?), considère que c'est une affaire entre lui et moi, elle n'a pas d'états d'âme sur le vrai crâne, pour elle la mort est la mort, elle s'en fout, elle veut se faire incinérer, qu'on déterre des ossements, ça la choque pas, même pour les vendre, elle dit c'est un commerce comme un autre, qu'est-ce qu'on vend, une carcasse qui se serait effritée avec le temps, il n'y a plus aucune humanité là-dedans. Elle me dit tu fais comme tu veux, c'est à toi qu'Andréas a demandé un crâne, tu lui as offert un crâne en plastique qui t'a déjà coûté assez cher, tu n'es pas obligée d'aller plus loin si tu as des scrupules, je lui dis, Marie-Paule, je veux agir dans le sens de son bien. Malgré tout, je trouve un peu bizarre qu'une mère n'ait aucun scrupule sur un sujet aussi délicat. Non ?

— Si, si.

— C'est quoi le bien d'un enfant, est-ce qu'on sait ce que c'est le bien d'un enfant ?

— Non.

— Non ! Tu as quand même une petite idée, j'espère ! dit-elle consternée.

— Oui, bien sûr, rit bêtement Adam car il ne sait même plus à quoi il vient de répondre non. Il fallait sauter de la voiture boulevard Kellermann, pense-t-il, même à Sceaux ou à Antony, profiter de l'achat du Veinamitol et s'enfuir avant le piège de l'autoroute. Une succession d'erreurs, d'inerties inconscientes, en faveur, pense-t-il, de la prédestination. Il était écrit que j'aille à Viry-Châtillon, Alexandre en Perse, moi à Viry. Il n'y a pas une seule personne au monde, se dit-il, qui me sait dans cette voiture, à cet endroit. Et il n'y a pas une seule personne que ça pourrait intéresser, qui se dirait, où est Adam, que fait-il en cet instant, est-il gai, triste, seul ? Irène s'en désintéresse, les enfants sont occupés, mes amis… y en a-t-il ? Il n'y a personne au monde qui se sente blessé par mon absence, pense-t-il. Irène aussi veut se faire incinérer. Et aussi Goncharki. Il était resté collé à la porte quand les croque-morts avaient mis son père en bière. Il avait entendu une série de bruits inquiétants et atroces et il avait retrouvé son père réduit d'un bon quart dans son cercueil. En tant que claustrophobe,

Goncharki ne voulait pas de ça pour lui. Compression, enfermement, plus vermine. Tel était le programme, donc incinération. Meyer Lansky avait fini sa vie en Floride dans un minuscule appartement sans vue. Un homme qui s'était vanté d'être plus puissant que US Steel. À quoi ça a servi d'être Meyer Lansky ? Pour finir arpentant des rues brûlantes, dans la solitude et la maladie. Qu'il soit enterré à Miami, ou à Jérusalem selon ses vœux non exaucés, qu'est-ce que ça change ? Qu'il soit incinéré, ou que son crâne côtoie des jouets dans une chambre d'enfant, est-ce que ça modifie la couleur de l'existence ? Depuis des années, Goncharki écrivait *Tombeau de Meyer Lansky*. Une célébration secrète, une ode secrète aux hommes qui ne savent pas être aimés. Tu as toujours tes parents ? demande subitement Marie-Thérèse.

— Oui. J'ai toujours mes parents.

— Ils vont bien ?

Est-ce qu'elle connaît mes parents ? pense Adam.

— Ils vont bien, ment-il.

— Tu les vois ?

— Pas très souvent. Ils vivent en province.

— Où ça ?

— À Libourne.

— C'est où ?

— Près de Bordeaux, pensant, qu'est-ce que ça peut bien lui faire ? Et pensant aussi, je devrais lui retourner la question, mais je me fous éperdument de ses parents comme je me fous de sa vie entière.

— Et toi, tes parents ? dit-il.

— Mon père vit toujours. Il habite toujours Suresnes.

— Et ta mère ?

— Ma mère est morte quand j'avais dix ans.

— Excuse-moi.

— Tes enfants les voient ? reprend Marie-Thérèse.

— Qui ?

— Tes parents.

— Pas tellement.

— C'est dommage.

— Non.

— Pourquoi ?

— Parce que mes parents n'ont aucun intérêt.

— C'est vache de dire ça.

— Non.

— C'est dommage pour des enfants de ne pas connaître leurs grands-parents.

— Ils se connaissent.

— De ne pas les connaître vraiment.

— Excuse-moi Marie-Thérèse, mais qu'est-ce que tu en sais ? C'est quoi ces formules toutes faites ? Et si les grands-parents sont des cons finis ?

Marie-Thérèse réfléchit. Puis elle dit, tu exagères.

— On arrive bientôt ?

— On arrive. On devrait déjà être arrivés s'il

n'y avait pas ces encombrements. Qu'est-ce que tu veux manger ? J'ai un petit rôti de bœuf au congélateur. On peut se faire un petit rôti de bœuf avec des carottes. Ou un gratin. Je peux aussi, c'est simple mais c'est ma spécialité, te faire une belle omelette pommes de terre.

— Une omelette, oui.

Il dit une omelette oui tandis que flotte un peu plus loin le panneau Viry-Châtillon-Fleury-Mérogis. Je vais manger une omelette à Viry-Châtillon avec Marie-Thérèse Lyoc, pense-t-il. Il regarde ses mains posées sur la boîte de Veinamitol, des mains plus vieillies que le reste de son corps, un peu gonflées, un peu inertes, des mains inoffensives et qui ne manquent à personne, se dit-il. Il pense à ses enfants vautrés devant la télévision et il se sent défaillir, comme s'il était immensément loin, comme s'il venait de perdre des temps irréparables. Il pense à ses garçons dans leur pyjama, échoués sur la moquette, au milieu des jouets renversés, des miettes de gâteaux, des emballages de bonbons, de yaourts, deux bêtes emmêlées regardant à l'endroit ou à l'envers, les clips, les pubs, n'importe quelle image hideuse et hurlante, totalement seuls à leur manière, se dit-il. Et il se dit que la leçon du grand n'est pas sue, il se dit que le grand ne prend pas l'école au sérieux, que le petit devrait être au lit, il se dit que Maria ferait mieux de le border et de lui raconter une histoire au lieu de le laisser pourrir devant la télévision qu'elle regarde elle-même, mâchonnant un chewing-gum, l'oreille collée au portable, il se dit que le grand n'utilise pas la brosse à dents électrique qu'il a commandée, que le livre des *Conquérants du Nouveau Monde* n'est toujours pas ouvert, le grand se fout des conquérants du Nouveau Monde, et toutes ces choses de la plus banale importance, qui ruinent, pense-t-il, soir après soir sa vie d'homme, ces anxiétés risibles qu'il considère en temps normal comme l'expression de sa déconfiture, lui semblent, dans la Jeep Wrangler qui s'engouffre dans la bretelle de sortie de l'autoroute, constituer la matière déchirante de l'existence. Je dois rentrer à Paris, pense-t-il, tandis qu'au milieu de nulle part surgit la brasserie belge Léon de Bruxelles, je dois rentrer sur-le-champ, Marie-Thérèse, fais demi-tour s'il te plaît, reprends l'autoroute, je dois rentrer chez moi, je dois coucher mes garçons, je dois attendre ma femme Irène, je dois profiter de mes enfants et de ma femme, j'ai quarante-sept ans, dans quelques années tout ça aura explosé, je n'ai pas le temps de manger une omelette à Viry-Châtillon, j'ai déjà fait le meilleur, comme toi, et le meilleur se réduit à rien tu vois, ramène-moi vite à la maison, je vais me mettre en pyjama, on va se rouler en boule avec les enfants dans le grand lit, on attendra Irène en riant sous la cabane tous les trois dans le noir, et on lui fera une farce à son arrivée.

La Jeep descend une petite côte. Au fond, sur

une pancarte, on peut lire *Votre appartement à Viry*. Adam ferme les yeux. Apparaît aussitôt une bottine scintillante, immobile dans le noir. Adam ouvre les yeux, il note *Vue panoramique sur le lac*, et les referme. La bottine est là, centrale et verte. Adam ouvre et referme les yeux plusieurs fois. La bottine est toujours là, plus ou moins fluorescente. Adam ferme un œil, puis l'autre. Pas de bottine. La bottine n'apparaît que lorsque les deux paupières sont closes. Une bottine remarque-t-il, qui finit par s'éteindre pour réapparaître au clignement suivant. Peut-être que je deviens hystérique, pense Adam. Au train où vont les choses, ne devrais-je pas m'adresser directement à Guen ? pense-t-il. Faut-il s'adresser directement à la sommité ou persévérer dans une voie quasi psychanalytique avec le médecin traitant ? Et pourquoi faut-il affronter en plus de la maladie, ce dilemme curatif ? Au phénomène de dislocation docteur, et sans que pour autant les effets de celui-ci aient complètement disparu, est venue s'ajouter une attaque inconnue, à chaque fois que je ferme les yeux, une bottine verte et très lumineuse, apparaît. Je dis bottine docteur, mais je pourrais aussi dire chaussette, en vérité c'est une sorte de soulier moyenâgeux, avec une longue pointe à l'extrémité, ne disait-on pas *à la poulaine* docteur ? Donc à chaque fois que je ferme les yeux je vois un soulier à la poulaine vert fluorescent au milieu du noir. Est-ce le fameux trou dans la rétine que vous et le profes-

seur Guen aviez évoqué ? Serait-ce l'épouvan-
table *trou maculaire* auquel vous et Guen aviez fait
allusion ? Voyez-vous docteur, si la bottine était
apparue sans aucun signe avant-coureur, je ne
serais peut-être pas dans cet état d'affolement,
mais elle est apparue à la suite du phénomène de
dislocation, qui souvenez-vous n'avait en lui-
même provoqué aucune altération de ma vision.
Le drame docteur, c'est que tout s'enchaîne avec
logique. Si ma rétine s'est déchirée, et je sens
qu'elle s'est déchirée, nous devons admettre que
la dislocation était l'antichambre du déchire-
ment. Nous craignons le pire et le pire arrive. Je
ne sais pas si vous mesurez la portée de ce
constat. Une douleur survient, que nous appe-
lons douleur ou dislocation, et au lieu de n'être
rien, un rien sur lequel nous fondons notre espé-
rance, qui serait en quelque sorte le *dos* de Dieu,
elle est un avertissement. Est-ce que vous réalisez
docteur, à quel point c'est grave qu'il ne puisse y
avoir une douleur sans conséquence ? Je suis cir-
concis docteur, mes parents se sont fait un devoir
de me soustraire aux lois de la nature et
j'approuve cette transmission, fût-elle symbo-
lique. Il m'est d'autant plus difficile d'admettre
que mon corps soit régi par le principe de causalité. Encore moins ma destinée. Ce principe de
causalité pour être franc me révulse. Et maintenant docteur, supposons que ma rétine ne soit
pas déchirée : que fait cette bottine moyenâgeuse
au centre de ma vision ? Vous séchez docteur. Ah,

ah, ah ! Le soulier à la poulaine, vous n'avez pas dû le rencontrer souvent dans vos livres ! Ah, ah, ah ! Qu'est-ce qui te fait rire ? dit Marie-Thérèse.

— Je ris ?

— Oui. On est arrivés.

Ils sont arrêtés sur un petit parking. Au tournant qu'elle vient de faire dans l'espace presque vide, on sent qu'elle a sa place fétiche.

— Là, tu as le lac de Viry-Châtillon. Il est très connu. Il y a des gens qui font du ski nautique, de la voile, il y a des canards, des cygnes.

— Tu fais du ski nautique ?

— Non. J'ai essayé une année à Banyuls, je n'ai jamais pu démarrer. J'habite là.

Marie-Thérèse montre un immeuble bas, en terrasses, qui ressemble à certaines résidences de vacances. Autour, il n'y a pas grand-chose, à part une grue devant un ensemble en construction, et un autre immeuble en retrait. Il n'y a plus ni pluie, ni brume. Plus de lumières flottantes, plus de chaleur.

— Marie-Thérèse, ramène-moi à Paris.

— Mais pourquoi ?

— S'il te plaît.

— D'abord tu vas manger et après on verra. Allez.

Marie-Thérèse sort de la voiture. Adam aussi. Marie-Thérèse ferme les portes. Elle dit, là-bas c'est Grigny.

— Ah oui.

— C'est la Grande Borne.

— Ah bon.

Ils regardent une colline éclairée vers le fond. Adam fait quelques pas vers le lac. Marie-Thérèse le suit. Puis ils s'arrêtent. Après un temps Marie-Thérèse dit, la partie du lac sur Grigny est beaucoup moins soignée, les arbres ne sont pas élagués, il y a des sacs de MacDo. Adam acquiesce. Ils contemplent en silence les arbres bas, les petites haies, l'eau figée, les oiseaux qui glissent dans la pénombre. Ils contemplent les lampadaires, la zone pavillonnaire, le restaurant sur l'autre rive. Marie-Thérèse contemple ce qu'elle voit tous les jours et toutes les nuits. Elle a perdu son dynamisme, pense Adam. Il la voit dans la clarté morne, il voit enfin son visage, une bouche un peu rentrée, des nervures sombres, rien de grave, juste l'effacement de la jeunesse. Bon, on rentre ? dit Marie-Thérèse.

— Et c'est quoi ce restaurant ?

— C'est un restaurant.

— Tu y vas de temps en temps ?

— Non.

— Pourquoi ?

Marie-Thérèse hausse les épaules. Adam regarde le restaurant de l'autre côté de la rive. Une maison blanche avec une enseigne verte, du même vert que la bottine, pense-t-il, et une balustrade. Si on y allait, dit-il.

— Oh non, rit-elle.

— Pourquoi ?

— On n'est pas venus ici pour aller au restaurant !

— Pourquoi pas ?

— Je ne vais pas aller au restaurant en bas de chez moi. Si je vais au restaurant, je vais à Paris, ou ailleurs.

— Mais moi j'aimerais bien aller dans celui-là.

— Tu serais déçu.

— Ah bon ?

— C'est moche. Et pas très bon.

— Ah bon.

— Et il n'y a personne le soir.

— Ah, dit-il, regardant la tranquille maison au bord de l'eau et pensant au triste et enfantin et inexplicable désir *d'aller au restaurant.* Un jour en descendant vers le sud, au début d'Irène, se souvient-il, il y a très longtemps, ils avaient traversé des gorges et ils étaient arrivés dans un village en pente. Le village s'appelait Glandieu. Au bout d'une esplanade en terre battue, il y avait un virage qui disparaissait sous un rocher et à cet endroit un petit restaurant. Ils s'étaient assis à une table dehors et il s'était dit, se souvient-il, je vais manger une bonne terrine paysanne avec un vin râpeux. Je vais manger des cornichons, avait-il pensé sous le soleil d'été en tenant par-dessous la nappe la main d'Irène. Tu entends les mouettes, tu les vois ? dit Marie-Thérèse.

— Je les vois.

À Saint-Vaast-la-Hougue, il avait refusé de louer des vélos. Il se rappelle cet entêtement.

Pourquoi avait-il refusé de louer des vélos ? Les autres familles roulaient gaiement avec les mouettes autour. Des pères en short, des mères en sac à dos, roulaient dans le vent salé et les cris des mouettes. Que signifie cette opposition ? De quoi souffre un homme épouvanté par une location de vélos ? Oui, je vois les mouettes Marie-Thérèse, et bien que je ne comprenne pas ce qu'elles viennent faire à Viry-Châtillon, je peux les voir survoler le chemin du dimanche et sombrer dans les eaux fades, le lac aussi je le vois, pense-t-il, je peux voir les lumières de la vie autour, la maison de plage de Marie-Thérèse, Marie-Thérèse aussi je la vois, son manteau, son écharpe, son visage d'il y a trente ans, je peux voir que le temps est passé, je peux voir notre vieillesse sous la lumière blanche du lampadaire, je vois un soulier à la poulaine lorsque mes yeux se ferment et que je ne veux rien regarder. J'ai cru docteur au début que c'était une voiture, vous savez ce genre de longues américaines. À présent, je peux me souvenir de ces hommes en culottes de cuisinier et longs souliers sur le parvis des églises dans mes *Tout l'Univers*, je peux voir le petit coucou de la mort en vert fluo et penser à nos ancêtres dans les ruelles pavées, je peux comprendre tout ça docteur, tout ça je peux l'envisager, je peux me dire ce sont des fragments de l'existence que j'envisage, ce sont des fragments de l'univers que je comprends, je peux relier entre eux le lac, les mouettes sombres et les canards, le restaurant et les rideaux, je peux me figurer qui vit là-haut dans la cité de Grigny, je peux relier ma vie et la vie de Marie-Thérèse, je peux me souvenir de Suresnes et comprendre le temps comme la marche d'un immense escalier douloureux et fatal. Mes enfants, je les vois aussi, dans notre appartement, je sais ce qu'ils font et je vois leurs corps dans leurs pyjamas. Ma femme Irène aussi je la vois même si j'ignore sa vie. Même si j'ignore sa vie. Car je ne sais plus qui elle est et elle ne sait pas qui je suis. Il y a des gens que je vois trois fois par an que je connais mieux et qui me comprennent mieux. Lorsque nous sortons, elle rit, elle s'extasie, elle s'offusque, je ne comprends rien à cette vitalité mondaine, jamais elle ne me regarde en secret, ou alors pour condamner mon absence, mais jamais elle ne me regarde pour glisser un de ces messages doux et silencieux, je n'existe pas. Elle plaisante volontiers à notre propos. La scientifique et le poète, ça l'inspire en société, elle maquille en encanaillement un attelage sinistre auquel elle ne croit plus depuis des lustres mais sans jamais me regarder, je veux dire vraiment me regarder et remarquer à quel point cette comédie m'est pénible. Quand nous visitons un endroit, elle fait des commentaires idiots avec une voix qui me hérisse, des réflexions culturelles qu'elle considère pertinentes et qui ne correspondent à aucune donnée réelle de l'être, avec un timbre qui gâche l'atmosphère et si je lui dis ne parle pas si fort, ou tu me diras ça plus tard, ou je m'en fous Irène, elle se drape pareillement et se tait d'un silence terrible, et il n'y a plus rien qui vaille d'être visité, rien qu'un caveau obscur. Je peux voir le livre que je n'écrirai jamais, les rêves irréalisés, oui docteur je peux les voir, les rêves irréalisés sont en moi comme un archipel, je le distingue encore, bien qu'il s'éloigne et perde ses couleurs, et se fasse de plus en plus lourd dans mon corps. J'ai réussi *Le Prince Noir de Mea-Hor* parce qu'il est en dehors du monde, le monde je ne l'envisage pas. Je ne peux voir que des fragments épars, des débris, je n'y comprends rien. Je ne suis pas capable de louer des vélos pour ma famille, parce que je ne suis tout simplement pas capable d'affronter *l'idée de joie,* pédaler dans l'idée de joie me tue. Siffloter dans le vent avec les familles heureuses est au-dessus de mes forces. Si j'enfourche le vélo avec le petit sur la selle arrière, c'est l'envie de pleurer qui va me saisir. Pour ne pas avoir envie de pleurer, il faudrait avoir réussi tout le reste, se sentir dans un camp ou dans un autre. Siffloter dans le vent à la queue leu leu avec sa femme et ses enfants, ce n'est pas le minimum, c'est l'aboutissement. Oui Marie-Thérèse je vois les mouettes, elles viennent de loin, elles chutent sur les petites dunes et les promontoires. Je les vois.

— Allons-y, dit Marie-Thérèse.

Il la suit. Elle marche en faisant tinter ses clés. Ils pénètrent dans l'immeuble blanc. Ils pénètrent dans l'ascenseur. Il se voit dans la glace, tenant le sachet de pharmacie.

Marie-Thérèse ouvre la porte de chez elle. Elle met la lumière. Elle pend son manteau et son écharpe et dit, installe-toi. Elle allume une lampe d'allure asiatique sur une table basse. Il y a un canapé et un fauteuil, le sol est en lino, note Adam. Au bout de la pièce, une porte-fenêtre qui ouvre sur une terrasse, au fond le lac. Marie-Thérèse dit, et si je montais le chauffage ?

— Si tu veux…

Elle va dans la cuisine qu'elle allume, qui est tout allongée avec une fenêtre au fond. Elle tourne le bouton du chauffe-eau, déchire un sopalin et se mouche. Adam se tient toujours debout dans le salon avec son manteau. On va se prendre un remontant, dit-elle en ouvrant un placard, un Pernod, un petit Guignolet-kirsch ?

— Ah tiens, un petit Guignolet-kirsch.

Adam s'assoit dans le fauteuil. Est-ce que je bois mon Veinamitol avant le Guignolet-kirsch ? pense-t-il. J'en serais débarrassé, pense-t-il, d'un autre côté, l'absorption immédiate d'alcool ne risque-t-elle pas d'entraver l'action du Veinamitol ? Ne faut-il pas laisser un sas entre le Veinamitol et l'alcool comme on le recommande pour l'aspirine et les antibiotiques ? Bois le Guignolet, pense-t-il, réchauffe-toi avec le Guignolet et avale ton Veinamitol plus tard, dans un contexte neutre. Marie-Thérèse arrive avec un plateau sur lequel il y a les verres et une soucoupe de Tucs. Enlève ton

manteau, dit-elle, je viens de monter le chauffage !
À moins, pense Adam, que je boive le Veinamitol
tout de suite, et que je mange une poignée de
Tucs pour colmater avant le Guignolet. Aurais-tu
un verre d'eau Marie-Thérèse ?

— Si tu enlèves ton manteau. En plus, il est
tout mouillé.

Adam se défait de son manteau. Marie-Thérèse
part l'accrocher et revient avec un verre d'eau.
C'est quoi ? dit-elle, le regardant verser le sachet
dans le verre.

— Un truc pour la circulation.

— Tu as des problèmes de circulation ?

— Ce n'est pas grave.

— Cinq gouttes d'huile essentielle d'ail plus
deux gouttes d'essence de citron, trois fois par
jour.

— Ah bon.

— Tu mélanges avec ce que tu veux, miel, mie
de pain ou eau.

— Ça fait quoi ?

— Ça régule la circulation. Ça stabilise l'hyper-
tension.

— Ça agit sur les vaisseaux ?

— Bien sûr.

— Ça les fortifie ?

— Ça fortifie tout.

Adam boit le Veinamitol et prend un Tuc.
Marie-Thérèse est partie dans la cuisine. Elle
revient avec un égouttoir, du papier journal et
des pommes de terre. Adam mange les Tucs pen-

dant qu'elle épluche les pommes de terre en sirotant le Guignolet. Elle n'a pas de cou, pense-t-il, est-ce parce qu'elle se tient voûtée pour éplucher ? Ah les lunettes ! s'écrie-t-elle, j'oublie les lunettes, rit-elle, se levant et farfouillant dans son sac. Comment tu me trouves ? Moche ? Cent ans ?

— Au contraire. Bien. Ça te va bien.

— J'ai un côté madame Demonpion, dis donc ! dit-elle, se regardant dans un miroir de l'entrée.

— Qui est-ce ?

— Demonpion, notre prof d'histoire et géo.

— Je ne m'en souviens pas.

— Mais si Demonpion : *plus ça change et plus c'est la même chose.*

— Je ne me souviens pas.

— Tu as revu des gens ? Tu as revu Tristan ? demande-t-elle, revenant à l'épluchage.

— Je n'ai revu personne.

— Moi non plus, à part Alice. Et Tristan au moment de la mort d'Alice. Après je ne sais pas ce qu'il est devenu. À un moment il avait plus ou moins un boîte de graphisme ou un truc comme ça. Tu te souviens de Gros-Dujarric ? C'est lui qui a fait la pub Twingo.

— Je ne me souviens pas.

— Il habitait dans le même bâtiment qu'Alice aux Hocquettes. On était les trois du Domaine des Hocquettes dans la classe. Je vois mieux avec les lunettes, c'est triste à dire mais je vois mieux avec les lunettes. Tu veux des oignons, tu veux que je mette des oignons ? Je peux faire avec ou sans oignons.

— Comme tu veux.

— Non, dis ce que tu préfères.

— Mets un oignon.

— C'est meilleur, mais il y a des gens qui n'aiment pas les oignons. Tu cuisines toi ?

— Oui.

— Qu'est-ce que tu fais de bon ? dit-elle de loin, épluchant l'oignon sous le robinet de l'évier.

— Des pâtes.

— Tu fais quoi comme pâtes ?

— Toutes les pâtes.

— À l'italienne ?

— Oui. Je fais du risotto aussi.

— J'adore le risotto. Faudra que tu me fasses un risotto un jour.

— Oui.

Elle coupe les pommes de terre, jette l'oignon dans une poêle et revient s'asseoir devant lui. Et ta femme, elle cuisine ? dit-elle.

— Pas beaucoup. Elle n'a pas le temps.

— Qu'est-ce qu'elle fait ?

— Elle est ingénieur.

— Dans quelle branche ?

— Dans les télécommunications.

Marie-Thérèse se tait. Elle baisse les yeux et semble méditer sur cette réponse. Elle nettoie ses lunettes avec le chiffon et les remet dans l'étui. L'oignon crépite dans la poêle. Elle se lève pour baisser le feu. Elle ajoute les pommes de terre, augmente le régime de la hotte et quitte la cuisine en fermant la porte.

Marie-Thérèse et Adam sont assis l'un en face de l'autre. Sans l'arrière-plan de lumière de la cuisine, la pièce a pris une allure de vide. Sur la table basse, il y a, à part le plateau qu'elle vient d'apporter, une fleur en pot. Quand le jour baisse, avait dit Goncharki, un jour chez lui, je ne me déplace pas pour éclairer la pièce. Je n'allume rien, je laisse les choses prendre l'allure d'ombres et je continue si je fais quelque chose, à faire ce que je faisais dans le sombre. C'est calme, Viry? dit Adam, après un long silence.

— Oh oui c'est calme, dit-elle.

— C'est comment?

— C'est rien. Viry, c'est neutre, ça veut rien dire.

Mon Dieu, pense-t-il, aidez-moi à convertir l'existence en littérature! Convertir Marie-Thérèse, le sol en lino, les Tucs, la lumière triste, convertir Viry et les années en littérature. Je n'ai pas de plus grand souhait. Je forme un vœu, en avalant cette gorgée de Guignolet: donnez-moi le pouvoir d'exister en dépit et au-delà du réel. J'ai été insincère, vous le savez bien, jusqu'à maintenant, j'ai voulu qu'on m'aime et qu'on me vante, j'ai voulu être *quelqu'un*, mon Dieu. J'ai joué à l'insolent et au négateur. J'ai voulu, je ris de la formule, occuper une place dans notre temps. De tout ce que j'ai écrit, je n'ai d'affection que pour *Le Prince Noir de Mea-Hor*, mon livre sans vanité. Vous me voyez ce soir, assis dans le salon de Viry-Châtillon, observant la configuration des meubles, attendant avec Marie-Thérèse Lyoc que le temps passe. Une télé éteinte sur une table télé : un assemblage qu'on pourrait trouver dans une chambre d'hôtel. Une étagère avec des C.D., quelques livres, des photos, un bahut bricolé pour intégrer le matériel hi-fi, un pouf marocain. Un tableau de Bonnard sur le mur, une reproduction sur papier dans un cadre rouge. Une femme verse une tasse de thé à un chien qui se tient sagement assis bien droit à la table, attendant d'être servi. Là où rien n'arrive, là où le corps fait défaut, je me sens plus égaré que dans le monde qui est, comme je l'ai entendu dire à la radio par un commentateur, *en précipitation chimique.* Je pense à mon âge et les secondes glissent dans le vide. Aidez-moi mon Dieu à traduire cela pour le simple réconfort de me sentir vivant. Tu fumes ? dit Marie-Thérèse.

— Non.

— Ça t'ennuie si je fume ? Je ne fume presque pas dans la journée mais le soir j'aime bien.

— Je t'en prie.

La fumée s'élève et embrume la femme et le chien. Il a déjà vu, pense-t-il, d'autres œuvres de Bonnard avec une atmosphère semblable, ou du moins avec des animaux. La volute qui s'efface laisse une impression troublée. Adam voit soudain des traits grossiers, une palette grossière, se dit-il, un recouvrement exagéré de la toile, et il se dit qu'il pourrait tout à coup ne plus aimer Bonnard, lui qui avait toujours aimé Bonnard, que Bonnard, exposé sur ce mur ocre, à la lumière de la lampe asiatique, se révélait dégoulinant et poisseux, et faussement gai. Ainsi on pouvait avoir toujours aimé Bonnard et ne plus l'aimer d'un seul coup, ainsi on pouvait désaimer soudain, pense-t-il, désaimer un tableau, comme un livre ou un lieu, désaimer n'importe quoi, n'importe qui d'un seul coup. Il y a cinq minutes, tu aimais le peintre Bonnard, pense-t-il, lorsque tu as levé les yeux sur ce poster encadré tu as pensé, tiens Bonnard et tu as aimé la théière, la composition, le chien et le dossier du siège, et puis subitement tu n'as plus rien aimé du tout, tu as pris en grippe la femme, la robe et le mur, et tu as tout trouvé dégoûtant, tu as trouvé que c'était une peinture dégoûtante, toi qui quelques minutes auparavant et pendant de longues années, avais approuvé et aimé l'ingénuité, la chaleur, la sensualité des tableaux de Bonnard. L'idée qu'on se fait des choses se fane, pense-t-il. Il faudrait un jour, pense-t-il, énumérer les choses dont il s'était désenchanté. Quels sont les verbes de l'homme ? avait demandé Goncharki lors d'une de leurs innombrables discussions avinées et elliptiques. Sans réfléchir. Donnez-m'en deux. Tenir et croire, avait répondu Adam. N'est-ce pas ton portable qui sonne ? dit Marie-Thérèse.

— Il est où ?

— Je ne sais pas, où était-il ?

— Dans mon manteau.

— Je l'ai accroché dans l'entrée.

Adam court dans l'entrée. Il plonge sa main dans une poche, puis dans l'autre, enfin il sort le portable : Allô, allô ? crie-t-il dans l'appareil avec un accent désespéré. Allô ? dit-il encore absurdement au silence. *N° inconnu* s'est inscrit sur l'écran. Adam guette la petite enveloppe du message. Il est debout dans le vestibule, entre la cuisine et le salon. Je prends mon manteau, pense-t-il, j'ouvre doucement la porte et je m'enfuis. Tu es arrivé trop tard ? dit Marie-Thérèse.

— Oui.

— N'empêche qu'ils se sont améliorés. Au début des portables, ils sonnaient trois ou quatre fois, je ne sais plus, tu ratais un coup de fil sur deux.

— Oui, dit-il en reprenant sa place dans le fauteuil.

— Tu veux encore des Tucs ?

— Non merci.

L'enveloppe n'apparaît pas. Adam compose son code. Vous n'avez aucun nouveau message, lui dit la voix. Qu'elle la boucle cette truie, pense-t-il, de quel droit s'ingère-t-elle dans ma vie cette salope. Excuse-moi Marie-Thérèse, je vais rappeler chez moi au cas où. — Maria, c'est moi, c'est vous qui m'avez appelé à l'instant ? — Non. — Tout va bien Maria ? — Tout va bien. — Irène n'est pas encore rentrée ?

— Non. — Les enfants sont couchés ? — Ils se couchent. — Ils ne sont pas encore couchés ? — Ils se couchent en ce moment. — Dites à Gabriel d'utiliser sa brosse à dents électrique. — D'accord. — Et de ne pas faire d'inondation comme d'habitude. — D'accord. — À demain Maria. — À demain.

C'était peut-être Albert, pense-t-il. Je dois rappeler mon ami Albert, dit-il, c'était peut-être lui. — Allô ? — Alors ? dit Albert. — C'est toi qui viens de m'appeler ? — Non. J'ai autre chose à foutre, mon vieux. — Ça va ? — Tu es où ? — À Viry-Châtillon. — J'espère que ça vaut le coup. — Les choses ne sont pas de cet ordre. — Ah bon, de quel ordre alors ? — Tu es chez Martine ? — Tu ne peux pas parler ? — Absolument. — Ah, ah ! Tu ne peux pas parler !… — Bon, je te laisse, ciao.

Qui avait pensé à lui à cette heure tardive ? Quel ami précieux avait voulu faire entendre sa voix ? Sauve-moi mon ami, je voulais te répondre, j'ai couru mais c'était trop tard, appelle encore, sauve-moi. Il fait des inondations ? dit Marie-Thérèse.

— Pardon ?

— Ton fils. Tu as dit dites-lui de ne pas faire d'inondations.

— Oui. Il fait des inondations quand il se lave les dents.

— Comment ?

— Il joue avec l'eau dans le lavabo. Il fait des cascades.

— Parle-moi de tes enfants, dit Marie-Thérèse après un silence.

— Tu veux savoir quoi ?

— Quel âge ils ont, s'ils sont bruns comme toi, bien que toi maintenant…, pouffe-t-elle.

— Ils ont cinq et huit ans. Ils sont bruns.

— Ils sont en quelle classe ?

— Le petit est en maternelle, le grand en CE2, dit-il, pensant on touche le fond.

— Ils travaillent bien ?

— Marie-Thérèse, s'il te plaît.

— Tiens, au fait, voilà Andréas, dit-elle avec enthousiasme, saisissant sur l'étagère une photo encadrée.

Au début, Adam ne sait plus qui est Andréas, il se souvient du dentiste en voyant le visage de l'enfant. Andréas est en couleurs, il sourit. Faut-il appeler sourire cette torsion en biais de la bouche ? pense Adam. Le photographe a dit à l'enfant allez, un petit sourire et l'enfant a tordu sa bouche de côté. Adam a déjà vu cette expression sur des portraits néo-scolaires de son fils aîné, il a déjà vu la pose abêtie et maladive sur fond de cubes. Il a déjà vu, pense-t-il, ce visage de mélancolie, ces longues oreilles, la coiffure de communiant, il a déjà vu la raie qu'on s'est échiné à tracer, la chemise trop fermée qui accuse l'air soufflé, non pas, sait-il, sur son propre enfant, mais sur l'Adam Haberberg d'autrefois, et tandis qu'il tient le cadre dans sa main et ne sait qu'en faire, il doit lutter contre une crise de larmes imprévue. On s'efforce, pense-t-il, chaque jour de se défaire de l'apitoiement, on prône le recul et l'endurance comme mode de vie, et on flanche devant une photo d'écolier. Il n'avait pas encore son appareil, dit-il pour dire quelque chose. Non, pas encore, dit Marie-Thérèse. Mais il était déjà spécialiste de l'engrènement dentaire, ajoute-t-elle fièrement. Elle ne va pas recommencer, s'inquiète-t-il. Mais elle ne recommence pas, elle remet à sa place le portrait d'Andréas et sort du salon. Il l'entend fureter dans une autre pièce au fond du couloir puis elle revient en tenant ce qu'il reconnaît au premier coup d'œil et qu'elle pose sur ses genoux. Demonpion justement, s'écrie-t-elle, en montrant la femme assise en bas à gauche de la première rangée. Toi. Alice. Serge. Tristan. Moi. Corinne Poitevin. Blaise. Jenny Pozzo, dit-elle. Philippe Gros-Dujarric. Evelyne Estivette. Hervé Cohen. Hervé Cohen, pense Adam, regardant le garçon rigolard, j'étais ami avec lui. Qu'est-ce qu'il est devenu Hervé Cohen ? demande-t-il. Je n'en sais rien, dit Marie-Thérèse. Adam se souvient d'Hervé Cohen. Un nom disparu de sa vie et que jamais plus il n'aurait prononcé sans cette rencontre. Pourtant il se souvient d'Hervé Cohen, ils allaient chez l'un et chez l'autre, ils avaient passé des vacances de sports d'hiver dans les Pyrénées. Adam se souvient d'avoir fêté

Pessah dans la chambre d'hôtel de Font-Romeu. Les parents Cohen cherchaient Jérusalem. C'est très simple, disait le père, où est Perpignan ? La mère montrait un mur, lui penchait pour un autre, il disait qu'est-ce qu'elle s'y connaît en orientation, une femme qui n'a jamais su déplier une carte routière sans tomber sur Klagenfurt ? Le père avait fini par imposer sa géographie et ils s'étaient tous tournés, les parents, Hervé, la sœur Joëlle, et lui Adam, vers le mur opposé à la fenêtre. Pendant la prière, la mère avait eu un fou rire qui avait gagné les enfants, tandis que le père, en pull de ski Jacquard et le *tallith* à moitié jeté sur sa tête, avait continué à lire, pénétré et réprobateur à la porte des toilettes, le récit du passage de la mer Rouge. Les parents Cohen étaient le contraire des siens, pense Adam. Les parents Cohen étaient gais, et irrationnels. Les parents Cohen étaient merveilleux. Ce qui compte, trente ans après, en regardant cette photo de classe, pense Adam, ce n'est pas Alice Canella ni Tristan Mateo, ni Hervé Cohen, mais les parents Cohen. Tristan, observe-t-il, est vêtu d'une tunique blanche, il a les cheveux longs et une moustache, un mélange de Jim Morrison et de Frank Zappa, se souvient-il. Alice est mince, blonde, morose, comme c'était la mode à l'époque. Adam essaie de l'imaginer grosse. Et morte. Morte est plus facile, pense-t-il. À Font-Romeu, les parents Cohen avaient peut-être exactement mon âge, pense-t-il. Que sont-ils devenus ? Morts aussi ? Ou habitant quelque part, vieux et diminués ? Ou habitant quelque part, pas du tout vieux et diminués, s'occupant des enfants d'Hervé et de Joëlle, récitant pour la millième fois la sortie d'Égypte, allumant des bougies d'Hanoukka, râlant contre Israël, râlant contre les ennemis d'Israël, s'engueulant encore pour des vétilles, se taquinant. On n'aurait jamais pu dire de ses propres parents, pense-t-il, les parents Haberberg comme on dit les parents Cohen. Les parents Haberberg étaient austères et plaintifs, et ne s'aimaient pas. Ils ne s'intéressaient pas aux amis de leur fils comme les parents Cohen. Monsieur Cohen, se souvient Adam, lui avait enseigné le « 421 », les lettres hébraïques et les rudiments de la conduite. Il roulait en Simca 1500 avec vitesses au plancher. Pour la fête des pères, Adam et Hervé lui avaient acheté, avenue de la Grande-Armée, une boule de changement de vitesse en bois. Cet accessoire l'avait littéralement galvanisé, le faisant basculer d'un homme connu pour sa conduite brutale à un véritable danger public. Dans les embouteillages, le père Cohen *écrasait le champignon* dès qu'il avait dix mètres de vide devant lui. À chaque feu, se rappelle Adam, on passait de la malle arrière au pare-brise. Madame Cohen, stoïque, semblait vivre l'intempestivité du frein comme une fatalité du ciel. Adam avait appris à conduire sur le parking de l'église moderne Stella Matutina, que Cohen disait avoir été conçue par un grand criminel. Cohen était moniteur, Hervé et lui, élèves ou passagers bringuebalés suivant les tours. Il disait, vous voyez mes enfants, si j'avais été l'architecte de cette église… j'aurais commencé par faire une synagogue ! Et il riait de sa blague comme il riait, se souvient Adam, de nos écarts de volant, calages ou accès de panique. On ne dira jamais non plus, pense-t-il, d'Irène et de lui, les parents Haberberg. Jamais aucun ami de ses enfants ne se souviendra d'eux en tant que *parents Haberberg*. Les parents Haberberg ne transmettent rien. On se sentait *fils* chez les parents Cohen.

— Tu n'as pas changé Marie-Thérèse, dit-il, étonné lui-même de la vérité de la phrase.

— Je suis mieux maintenant. J'avais l'air plouc.

— Tu avais l'air plouc, mais tu n'as pas changé de visage.

— Toi non plus, pas tellement, à part les cheveux.

Il a les cheveux noirs et bouclés, il est mince, il porte une chemise à carreaux. Il croit intelligent d'être rebelle sur la photo. Il a un air faux. Il n'est pas si différent de Serge Gautheron, dont il n'a aucun souvenir, mais qui a le même gabarit, les mêmes couleurs et la même ridicule morgue. Le contraire de Tristan Mateo, voit-il, qui a une tête de plus que tout le monde et dont le détachement est frappant dans la californienne tunique blanche. Tristan Mateo lit *Seigneurs et nouvelles créatures* de Jim Morrison, il lit Herbert Marcuse et Jerry Rubin, fume et avale toutes les substances de l'époque sans jamais se détériorer, ni faiblir sur le terrain de rugby. Tristan Mateo possède Alice Canella. Alice Canella n'existe plus, pour aucun de nous, se dit Adam, et l'idée a une saveur amère et apaisante. Une saveur infime, observe-t-il, un goût de brume qui passe et se dissipe aussitôt. Marie-Thérèse est partie retourner les pommes de terre. Adam se demande où ils vont dîner. Dans la cuisine, on doit pouvoir se tenir à deux. Ou bien ici, suppose-t-il, sur la table basse. Adam ne voit pas d'autre table et il se dit que Marie-Thérèse ne doit pas recevoir d'amis ou alors juste un ou une amie, ou alors des amis qui mangeraient sur leurs genoux, sagement assis côte à côte, avec leur serviette et leur assiette sur les genoux serrés. Et il se demande qui sont ces amis qui viennent dîner sur leurs genoux, à Viry-Châtillon, dans l'appartement bien ordonné de Marie-Thérèse Lyoc. Et il se dit heureusement qu'il y a ces amis des *salons*, ou d'Orly ou de Suresnes, qui passent la porte de la nuit et s'introduisent dans les pièces avec des voix fortes, tout de suite créant la bonne ambiance, se serrant sans embarras sur le canapé, et se chicanant pour rire, et riant, et picolant bien. Je pourrais, pense-t-il, écrire sur ces amis des samedis, après tout je les connais, eux aussi je les vois comme les oiseaux pressés sur les buttes, je combine les époques, je combine les émotions, je mélange les

vies comme les cartes. Tu reçois des amis ici ?
dit-il.

— Ça dépend, répond-elle de la cuisine,
s'essuyant les mains avec le torchon, pas tellement en fait.

— Tu ne fais pas des petits dîners chez toi, de
temps en temps ?

— Pas tellement. Tu veux manger dans la cuisine ou dans le salon ?

— Où tu veux.

— Dans la cuisine on sera mieux assis.

— D'accord.

— Dans le salon la lumière est plus agréable.

— Comme tu préfères.

— C'est toi qui décides.

— Ça m'est égal.

— Choisis.

— Dans la cuisine, dit Adam pensant aussitôt
le salon serait mieux.

— C'est prêt dans cinq minutes, dit-elle revenant s'installer devant lui, reprenant son verre de
Guignolet, contente, on ne sait comment de la
situation. Adam a posé la photo de classe sur
la table, Marie-Thérèse la saisit et s'y penche. Elle
connaît cette photo par cœur, pense Adam, la
photo de classe a traversé les années, comme son
visage, changeant imperceptiblement, s'éloi-
gnant à peine, se dit-il. Ce soir, pense-t-il, c'est
une farandole de spectres qu'elle découvre la
pauvre, inopinément assise en face du vieillard
chauve et bedonnant qu'on appelait Adam

Haberberg. Il se souvient de la jeunesse du nom, il se souvient qu'Adam Haberberg ça avait un autre son, ça ne voulait pas dire ce que ça dit aujourd'hui. Marie-Thérèse Lyoc, si, pense-t-il. Marie-Thérèse Lyoc a toujours voulu dire Marie-Thérèse Lyoc. Marie-Thérèse Lyoc est définitif, pense-t-il. Pas Adam Haberberg. On pouvait compter sur ce nom, c'était même la seule chose que les parents avaient donnée et sur laquelle on pouvait compter. Quand on s'appelle Adam Haberberg, on ne s'attend pas à écrire des romans de gare, et on ne s'attend pas à être terrassé par une thrombose à quarante-sept ans, avant qu'ait eu lieu, même petite, même bâtarde, même mortellement éphémère, *la reconnaissance*. Adam avait toujours pensé que son destin était parti à la dérive, inexplicablement. Pour gagner au « 421 », lui avait enseigné Cohen, il faut vouloir gagner. Toi tu t'en remets au sort, les dés le sentent, ils s'en foutent, ils ne sont pas motivés. Cohen gagnait à chaque fois. Adam chauffait les dés dans sa paume, soufflait dessus, énonçait les chiffres à l'avance avec une voix définitive, et perdait. Les dés répondent au désir silencieux, pas à l'agitation d'un roquet. En allait-il également de la vie ? Est-ce que la vie répond au désir silencieux, informulé, qui n'est pas seulement un désir mais aussi une certitude, que le monde est offert et ne se déroulera pas sans vous. Car pour gagner, avait-il compris, il faut non pas vouloir gagner mais croire qu'on va gagner. Tenir et croire, les verbes de l'homme, avait-il répondu sans réfléchir à Goncharki, se répète-t-il. Sans réfléchir, pense-t-il, ce qui ne veut pas dire sans mentir, on aurait tort, se dit-il, de confondre le spontané et le vrai. Pour survivre, pense-t-il, on a bien dû se fabriquer des postures de dignité. On ne peut pas dire que je n'ai pas changé, dit Marie-Thérèse. Puis elle ajoute, j'ai envie de te montrer quelque chose. Mais elle ne bouge pas. Quoi ? dit Adam.

— Une lettre.

— Une lettre de qui ?

— D'Alice.

Adam se tait et Marie-Thérèse ne bouge pas. Ils restent ainsi immobiles et enfin Marie-Thérèse dit, hier, à un carrefour, boulevard Sébastopol, j'attendais pour traverser parmi d'autres gens. À un moment donné, il n'y a plus eu de voitures ni à gauche ni à droite et le feu était toujours vert. Tout le monde a traversé, sauf moi. Et quand je pouvais encore le faire, je ne l'ai pas fait, je ne sais pas pourquoi, j'ai attendu toute seule sur le trottoir que le feu devienne rouge. Adam espère la suite, mais il n'y a pas de suite. Marie-Thérèse a fini. Ils se taisent encore et puis Marie-Thérèse dit, c'est comme ça dans la vie, je n'ose pas, je ne prends pas de liberté. Allez, je mets les œufs.

Elle se lève, retourne dans la cuisine. Il la voit verser les œufs battus dans la poêle et faire les gestes de l'omelette. Adam se lève et la rejoint. La cuisine est tout en longueur, il s'approche de la fenêtre au fond. Dans la nuit, quelques arbres nus, des bâtiments sans fenêtres, des lampadaires, des gradins. Qu'est-ce qu'on voit là ? dit-il.

— Le stade de foot.

— Et la route derrière, c'est quoi ?

— C'est la route qui va de la nationale 7 à l'autoroute.

— Je peux faire quelque chose ?

— Tu peux déboucher le vin. Tu voudras de la salade ?

— Ça ira.

— Assieds-toi.

Adam s'assoit. Il pense à la lettre. Ne dis pas, se dit-il, c'était quoi cette lettre d'Alice ?

— Vous vous revoyez avec Serge Gautheron ?

— Non. Il s'est remarié.

— Ah bon.

— Il a un fils.

— Je te sers du vin ?

— Vas-y.

— C'était quoi cette lettre d'Alice ?

— Je te la montrerai.

— Non mais je m'en fous. C'était quoi ?

— Tu verras.

Marie-Thérèse fait glisser l'omelette sur un plat rond qu'elle pose entre eux sur la table étroite. C'est une jolie omelette aux pommes de terre, bien roulée, baveuse, une omelette parfaite, pense Adam. Si on m'avait dit ce matin, ce soir tu dîneras ici avec Adam Haberberg ! plaisante-t-elle en le servant. Sur le plan de travail, le long du mur, il y a un alignement de robots ménagers. Une bouilloire, une centrifugeuse, note Adam, un robot-batteur, un mixeur, une cafetière électrique, un grille-pain. Adam ferme les yeux. Le soulier à la poulaine vert fluorescent est là qui confirme la souveraineté de la solitude. Tu te sers de tous ces appareils ? dit-il. Ah oui, s'éclaire-t-elle de façon inattendue, oui, moins qu'autrefois bien sûr mais quand même.

— Tu fais quoi ?

— Tout, rit-elle. Ce week-end par exemple, j'ai fait quatre pains aux courgettes pour les vingt-cinq ans de mariage de ma sœur.

— Ah oui.

— Quand je dis j'ai fait, ce sont les appareils qui font, moi je fais rien. C'est bon ? Rajoute un peu de sel si tu veux.

— C'est très bon.

— Il y a des femmes qui sont folles de chaussures ou de produits de beauté moi je suis folle d'appareils électriques. Lorsque j'ai eu ma première machine à laver le linge, au début de mon mariage, faute de place, on n'en avait pas, j'ai lancé le long programme « lavage ». Je me suis assise à côté sur un tabouret et j'ai suivi tout le roulement, prélavage, lavage, amidonnage, essorage… jusqu'au clac final. J'ai appris les bruits par cœur. Aujourd'hui je suis capable de détecter n'importe quel bruit suspect. Pareil pour le lave-vaisselle. Quand j'ouvre un magazine, je ne regarde pas la mode ni les potins mais « Quoi de neuf ? » dans la rubrique électroménager. Je suis très difficile, soit c'est le coup de foudre et je suis au magasin dès le lendemain, soit j'attends des années avant de me décider, dans l'espoir d'une meilleure performance ou un nouveau *look*. Le look c'est très important, je suis bien placée pour le savoir dans mon business. Quand je me suis décidée pour un appareil, je peux piquer une crise s'il n'y a pas la couleur qui me plaît. Ma cuisine, c'est mon chez-moi, j'aime être le maître dans ma cuisine, le fait de faire marcher tous mes appareils au doigt et à l'œil, ça me donne un sentiment d'ivresse. Je lis les notices à fond, une notice qui est écrite en trop de langues ça m'horripile, en plus c'est toujours le français le dernier. Une notice où il n'y a pas assez d'explications ça m'énerve aussi, beaucoup de choses m'énervent, par exemple j'avais un mixeur qui faisait les jus mais il fallait rajouter un élément et le maintenir dessus, moi j'aime quand le robot travaille tout seul. J'ai fait quatre pains de courgettes ce week-end, tu sais combien de temps ça m'a pris ? Un quart d'heure. Je lave les courgettes, je coupe les extrémités – j'ai aussi les couteaux qu'il faut, même pour une petite recette de rien du tout –, je monte le Kitchenaid avec l'appareil à rondelles, je choisis le coupeur à rondelles du milieu, ni trop fin, ni trop épais. Les rondelles tombent dans le grand récipient, elles tombent par cinq ou six en même temps, il faut être en rythme avec l'appareil, je ne veux pas l'arrêter, c'est une lutte entre lui et moi. Quand le pot est plein, j'ai toujours l'impression d'un miracle, j'ajoute l'huile d'olive, le basilic – je travaille sans cuillère, je travaille avec mes mains, j'ai appris ça dans les feuilletons américains, les Américaines travaillent avec les mains –, le sel, le poivre, le piment d'Espelette, je malaxe, je mets de côté, je prends mon blender, je mets ma crème fraîche, mes œufs, je rajoute de l'estragon, je mixe le tout. J'huile un peu mes moules, je mets au fond quelques rondelles et une branche de basilic pour décorer, lorsque tout est mixé, je goûte, je verse la sauce et j'enfourne dans le four chaud déjà actif. Ça me prend un petit quart d'heure et moi je ne fais quasiment rien. Chaque soir, je règle l'heure de mon café. Quand je me lève, la première chose que je sens c'est l'odeur de mon café. Un café tout frais, chaud, dosé, corsé à souhait. Ça c'est le plus merveilleux, c'est comme si pendant ton sommeil quelqu'un s'était occupé de toi et s'était en allé discrètement.

— Oui, murmure Adam.

— Je vais faire une salade, dit-elle en se levant. Une salade de tomates, ça te dit ?

Adam acquiesce et tandis que s'estompe l'idée de vivre dans une hutte au Canada avec une simple hache, il se demande s'il n'aimerait pas lui aussi se lever avec l'odeur du café, il se demande s'il ne vaut pas mieux être seul comme Marie-Thérèse avec la cafetière Krups, que seul à la table dévastée du matin, devant la théière d'Irène, devant les bols vides de chocolat, la boîte de Crunch, les tartines de pain grillé à moitié croquées, sans autre signe visible d'une attention à son existence qu'une soucoupe et une tasse sorties du placard posées n'importe où. Marie-Thérèse a coupé les tomates avec un de ses couteaux spéciaux, elle remue la sauce dans le saladier et sa poitrine tremble en même temps, observe Adam. Le tremblement de la poitrine de Marie-Thérèse Lyoc évoque inexplicablement certain climat de montagne, l'humidité opaque et mouvante des chemins de brouillard, comme si la vie devait se résoudre en une seule image vaine. La pluie vaine ou les seins flottant dans la cuisine en longueur, au bout de laquelle l'avenir s'est dissimulé.

Elle s'est rassise, a posé entre eux le saladier sur la table et lui sourit. Il répond, comme il l'avait fait devant la fauverie, à cette marque silencieuse. Il la regarde mélanger les tomates, le servir avec délicatesse. Elle coupe du pain, un pain un peu brioché, c'est le pain d'Andréas, dit-elle, il l'adore, j'en ai toujours à la maison que je congèle. Il les voit, elle et lui, attablés dans la cuisine en longueur, suspendus entre le lac de Viry-Châtillon et la nationale 7, il pense aux hommes attablés dans les cuisines en longueur, mangeant sur le désert des villes, une salade de tomates, une omelette, n'importe quelle chose habituelle, et il pense aidez-moi mon Dieu à trouver les mots. Je veux bien écrire des livres de gare pour gagner ma vie, je ne vois pas de mal à gagner ma vie en m'appelant Jeffrey Lord ou Michel Brice, je veux bien avancer dans le noir avec mon voyageur de l'infini ou comme Goncharki, avec des flics qui ne baisent jamais moins de six heures d'affilée, je veux bien écrire mitrailleuse pour le type qui retourne à la caserne, je veux bien désormais écrire *un frisson lui parcourut l'échine,* je m'en fous. Accordez-moi juste un cahier secret et aidez-moi à trouver les mots pour dire la vérité. Les médicaments, la terreur du déclin, le robot-mixeur, le jean de Marie-Thérèse, le carré de fenêtre au fond avec le store qui bat. La vérité sans volonté, sans désir d'originalité, sans désir ni plus ni moins. Peu importe si je suis perdant. Le matin, j'écoute l'inarrêtable radio s'exciter sur les métamorphoses du monde et je pense excite-toi aussi voyons, sur les métamorphoses du monde, c'est ça qu'on attend de l'écrivain, qu'il rende compte de la précipitation de l'Histoire. Mais moi je ne vois plus de matière dans les métamorphoses du monde. Je croyais en voir, au temps où je m'agglomérais à la culture ambiante, je n'en vois plus. Les métamorphoses du monde ne changent rien à ce que je suis. Au mieux, elles me distraient de moi-même. Les évènements sont comme une potion d'oubli, le matin, lorsque je me retrouve seul, j'ouvre l'effroyable radio pour être submergé par les évènements. Les *grands évènements* me consolent, ils servent d'alibis à mon obscurité, on ne rivalise pas avec le tragique de la planète. Les grands évènements aident à passer le temps, rien de plus. Dans mon cahier secret, je veux rendre compte de ce qui ne change pas, ou si peu, ou de façon invisible, sourdement cruelle. Peu importe si je suis perdant. Tu avais faim dis-moi, dit Marie-Thérèse.

— C'est vrai, avoue-t-il, j'avais froid et faim. Tu as recueilli une épave Marie-Thérèse.

Elle est debout, elle sort quelques fromages du frigidaire et les dispose sur un petit plateau. Ils n'ont pas super-mine, mais ils sont bons, dit-elle. Après j'ai des fruits ou un sorbet framboise. J'ouvre une autre bouteille ?

— Ça ira. Je vais essayer de me tenir même en tant qu'épave.

— Qu'est-ce que tu faisais à la Ménagerie ?

— Rien.

— Quand même, c'est bizarre. Par ce temps.

— C'est quoi celui-là ?

— Du chabichou. Un chèvre.

— Alors, cette lettre d'Alice ?

— Après le dîner.

— Pourquoi vous avez divorcé ?

— Parce que ça n'allait plus. Pourquoi les gens divorcent ?

— Ça ne suffit pas.

— C'est quand même une bonne raison.

— Qu'est-ce qui n'allait plus ?

Marie-Thérèse réfléchit. Puis elle dit, on ne s'aimait plus.

— Et au début vous vous aimiez ?

— Je crois.

— Tu n'es pas sûre ?

— Si.

— Pourquoi tu dis je crois ?

— Si tu veux du sorbet, je le sors maintenant.

— Pas de sorbet.

Marie-Thérèse se lève et pose sur la table la corbeille de fruits. Des fruits d'hiver, des pommes, une poire, des oranges. Elle a, pense-t-il, chez elle de quoi accueillir n'importe qui à l'improviste, elle qui ne reçoit personne, ou presque, a-t-elle dit, est en mesure d'offrir l'ordinaire au pied levé, un geste élémentaire, pense-t-il, que lui n'aurait jamais pu faire, à aucun moment de sa vie, car il faut pour cela que règne dans la maison, et il n'y eut pas de maison où ce fut le cas, un ordre domestique, qui dans la hiérarchie des ordres est lié au temps et aux fêtes. Même marié, même *père de famille*, pense-t-il, j'ai toujours vécu avec les placards plus ou moins vides, ou alors seulement des pâtes et du riz, et des sachets de purée, avec le frigidaire plus ou moins vide si on excepte les empilements de desserts pour enfants, un frigidaire rempli à l'excès de temps en temps et puis vidé aussitôt pour une durée imprécise, dans lequel il y a quand même les aliments du jour, achetés sans loi par Irène, par Maria ou par moi, dans l'esprit unique de pourvoir au besoin du jour, une maison qui est le contraire de la maison imaginée, dont la porte est grande ouverte où le couvert est mis pour qui entre, où le prophète Elie peut bien venir un jour s'asseoir et boire son verre de vin. Votre tension oculaire est de dix-neuf, a dit l'ophtalmo, ce qui n'est pas à proprement parler une tension significative mais qui n'est pas non plus une tension anodine, j'ai des patients qui peuvent avoir trente-cinq, pour vous donner un ordre de grandeur, ou même cinquante dans certains cas aigus, par ailleurs la tension oculaire varie, il faudra la contrôler avant de s'en inquiéter, il y a des glaucomes sans tension, ça existe mais c'est plus rare, en général le glaucome se traduit par une augmentation de la tension mais il existe des glaucomes sans augmentation de la tension, vous, vous présentez une émergence du nerf optique dans le fond de l'œil, en d'autres termes une excavation pupillaire, a dit l'ophtalmo, se souvient Adam qui, en regardant Marie-Thérèse réemballer les fromages dans du papier d'argent, a senti soudain une pression extérieure bilatérale s'exercer sur ses deux globes. Une pression, décrypte-t-il, de nature tout à fait différente du phénomène de dislocation, lequel, il s'en rend compte à cette occasion, a pour ainsi dire disparu, laissant pour mémoire la forme terrifiante et silencieuse du soulier à la poulaine. Nous aurions alors, pense-t-il, deux effets distincts pour confirmer l'hypothèse de deux causes distinctes et concomitantes, la thrombose et le glaucome. Ainsi donc, songe-t-il, j'ai peut-être aussi un glaucome, puisqu'il y a thrombose, songe-t-il, pourquoi n'y aurait-il pas aussi glaucome, dès lors qu'un dérèglement survient, on cherche d'autres dérèglements, lesquels sont tapis dans l'ombre, comme nos obsessions, et possèdent leur vie propre, et nous entraînent chacun séparément à la catastrophe. Je dois téléphoner au centre d'examens pour faire avancer la date de mon champ visuel, pense Adam. Pourquoi attendrais-je encore quinze jours pour confirmer un diagnostic que je pose ici même, dans la cuisine de Viry, en regardant Marie-Thérèse refermer la boîte à fromages, sans savoir après tout si ce ne sont pas les dernières images que mon cerveau enregistre avec netteté, les dernières images limpides de ma vie, Marie-Thérèse Lyoc dans sa cuisine en longueur, les pommes, les oranges, les assiettes à dessert dentelées. Il se souvient des autruches du Jardin des Plantes. Elles sont loin, se dit-il, des autruches observées quelques heures plus tôt appartiennent déjà au passé. J'ai la nostalgie du couple d'autruches, de l'enclos, du banc, de la pluie, j'ai la nostalgie du lion vert-de-gris dominant la fontaine, de la rue Cuvier, du quai Saint-Bernard, c'est déjà une Marie-Thérèse du passé qui s'est avancée vers moi avec ses sacs d'échantillons et son parapluie. Dès qu'ils avaient franchi le périphérique, se souvient-il, une sensation d'irréparable l'avait habité. Dès qu'ils avaient quitté le boulevard Kellermann, au premier panneau Montrouge, il s'était senti, avait-il pensé dans la Jeep Wrangler, irréparablement perdu. Vous avez docteur, le privilège d'accueillir dans votre cabinet un patient de quarante-sept ans qui présente un double risque de cécité. Ce patient docteur, sachez-le, n'a pas de courage. Il vous fait croire qu'il a du courage, notamment par son inclination à absorber vos mots scientifiques, mais il n'en a pas. C'est un homme banal qui a peur d'être diminué et qui a peur d'être aveugle. Et qui a peur de devoir renoncer à ce qu'il n'a pas eu. Prends la poire, dit Marie-Thérèse.

— Non merci.

— Alors une pomme ?

— D'accord.

— Ça va ?

— Oui.

— La lumière te gêne ?

— Non.

— J'éteins le plafonnier si tu veux.

— C'est rien Marie-Thérèse.

Elle s'est déjà levée. Elle appuie sur l'interrupteur qui est à gauche de la porte. S'éteignent le néon du plafond et aussi un spot mural. Il reste la lumière de la hotte et des tubes qui éclairent le plan de travail, une atmosphère absurdement intime qu'il approuve à sa demande car, observe-t-il, il ne trouve pas de raison d'empêcher ce geste, voudrait-elle plonger la cuisine entière dans l'obscurité qu'il n'y verrait pas d'inconvé-nient, il n'a pas d'avis, pense-t-il, aussi bien l'embrasement du néon que l'obscurité, aussi bien les phrases que le fruit coupé dans le silence. Il a dit, c'est rien Marie-Thérèse, et elle s'est levée pour éteindre le plafonnier, un acte inutile, car il n'est pas gêné par la lumière, une gentillesse inopportune qui le touche et l'agace en même temps. Au lieu de dire c'est rien Marie-Thérèse, pourquoi ne pas tout avouer, et même en rajouter pour la terrifier, à quoi bon se confiner dans une fausse décence, déjà écornée par les froncements, le Veinamitol et la main plaintive sur les paupières, pourquoi ne pas mettre un peu d'ambiance en disant Marie-Thérèse, j'ai une anomalie génétique grave, à tout moment, dans n'importe quel endroit de mon corps, un de mes vaisseaux peut s'obstruer, à l'heure où je te parle j'ai déjà une thrombose oculaire qui se complique d'un glaucome, ça peut survenir dans le cœur ou dans le cerveau, d'ici la fin de notre soirée je peux par exemple être foudroyé par une attaque, que tu allumes ou éteignes ton plafonnier Marie-Thérèse ne change rien. Idem pour tes huiles essentielles ma pauvre Marie-Thérèse. Je ne t'en veux pas mais j'espère que tu mesures le ridicule de m'avoir conseillé de l'huile d'ail. De l'huile d'ail à un type qui a une *hyperhomosystéinémie*! Ma femme Irène aussi me recommande des décoctions miraculeuses. Elle, non par ignorance mais par méchanceté. Des onguents veineux internes, prescrits par la fille qui l'épile. Irène ne supporte pas mes lamentations. C'est elle qui dit *mes* lamentations. Comme si je me lamentais en permanence, ce qui est faux, ou qui est peut-être devenu vrai par le fait que n'ayant jamais éprouvé le réconfort de sentir en elle une forme d'indulgence, j'ai fini par accentuer mes plaintes, voire les théâtraliser, ceci dans l'esprit paradoxal d'être pris au sérieux, de créer chez l'autre un fléchissement compassionnel. Il est vrai que j'outre avec ma femme Irène l'expression de ma souffrance, et ce d'une manière générale, je l'ai toujours fait, quels que soient mes maux, mais je l'ai fait pour l'attirer à moi et ce fut une grande erreur Marie-Thérèse, car la souffrance ne se communique pas, pas plus que le sentiment d'abandon, qu'on appelle aussi solitude mais qui est pire, pas plus que le chagrin, d'ailleurs je me demande bien ce qui se communique. Jusqu'ici, je n'avais encore jamais rien eu de grave. Toutes sortes de maux, oui. Des maux quasi quotidiens, oui. Mais rien de grave. Je ne te l'ai pas dit dans la Wrangler Marie-Thérèse, mais mon père a eu un cancer du côlon. Un cancer à caractère héréditaire paraît-il. J'avais admis le principe du cancer du côlon. L'hypothèse du grave, il en faut une, c'était le côlon. Le jour où j'ai fait la coloscopie sans polypes, je me suis dit tu es sorti d'affaire, il ne peut rien t'arriver. Une petite coloscopie tous les cinq ans et tu es tranquille. Un matin je me réveille Marie-Thérèse, j'ai la sensation d'un scintillement dans mon œil gauche, je masque l'autre œil avec ma main et je m'aperçois que je vois trouble. Je dis à Irène je vois trouble, elle répond ça nous manquait. Je dis à Irène je vois flou de l'œil gauche, elle répond c'est une poussière, ça va passer.

Deux jours plus tard, je lui dis j'ai une thrombose, elle soupire et dit : j'en ai marre. L'onguent de l'esthéticienne est un breuvage épais et infect à base de vigne vierge, de silice concentrée et, je l'ai lu sur la notice, car toi tu lis de fond en comble les notices d'appareils électroménagers, moi je lis de fond en comble les notices de médicaments, de *noisetier des sorciers.* Noisetier des sorciers ? ai-je osé timidement, à une femme qui est quand même chef de projet à Issy-les-Moulineaux, un crack des communications spatiales. Noisetier des sorciers, bon, me répond-elle avec un haussement d'impatience. Tu as ingurgité tellement pire dans ta vie. Où en étais-je Marie-Thérèse ? Qu'est-ce que je disais ? Tu allumes une bougie sur la table, nous sommes retournés au salon je vois, je vais où tu veux, je me mets où tu veux, le salon, la cuisine, le salon, ça n'a pas d'importance. Les sentiers que j'aime, les chemins qui tournent on ne sait où, sont loin.

Marie-Thérèse allume une bougie blanche qui est comme un cierge. Avec la flamme, elle allume sa cigarette. Puis elle dit, tu veux voir la lettre d'Alice ? Adam regarde s'évader le fil de fumée noire. Il dit, montre. Marie-Thérèse pose sa cigarette sur un cendrier en forme de trèfle et part chercher la lettre.

La lettre d'Alice est adressée à Marie-Thérèse Lyoc, Domaine des Hocquettes, Suresnes 92,

Francia. Mille neuf cent soixante et onze, dit le cachet de la poste, à peine lisible sur les timbres espagnols.

Adam sort les feuilles de l'enveloppe. Quatre pages remplies sans aucune marge, d'une écriture immédiatement reconnaissable et immédiatement douloureuse.

Malaga, samedi 14, 8

Mujer, (mon fardeau!)

Jamais il n'y a du papier dans les chiottes que ce soit en Espagne ou au Maroc, c'est toujours aussi dégueulasse et bien que tu m'aies écrit sur un genre de papier-cul, ce qui m'a rassurée car je croyais que tu t'embourgeoisais, je ne m'en sers pas alors que j'ai attrapé la dysenterie au sud du Maroc! J'ai des crampes, mal au cœur, etc. c'est tellement «chiant» que je ne fume plus, depuis quatre jours... de cigarettes. Suis dans la gare, je rentre à Paris après de longs hésitements car j'avais envie de rester avec Nordine à Diabet (3 km d'Essaouira, regarde sur une carte mon gros). On vit pour rien là-bas, c'est un village où ne vivent que des hippies et des Marocains mais pas des cons, ils ne s'occupent pas des hippies, ne les regardent pas comme partout ailleurs comme des bêtes curieuses. Pas un seul touriste, c'est vraiment la vie de rêve. Mes parents n'auraient pas pu me retrouver là-bas, impossible. En arrivant ici j'ai trouvé une lettre de mon père qui commence comme ça, « *Le peu de cas que tu fais de nous en dit long sur ton incapacité à tenir tes plus simples engagements. Dois-je considérer que tu envisages avec la même désinvolture ton examen de rentrée et par-delà ton année à venir ? Je te rappelle que la vie ne consiste pas à suivre des abrutis qui grattent de la guitare sur les plages de la Costa del Sol* ». *Tu vois le moral que ça te fout ce genre de mots ! Sincèrement, je me vois mal reprendre la vie de lycéenne, d'abord j'ai tout oublié, tout, et puis depuis vingt jours, je suis stoned, c'est le premier jour que je ne fume pas, que je n'ai pas pris les petites vitamines pour mon cerveau. Conoces* ghita tea, *opium tea ? Au Maroc, tout le monde plane, même les douaniers fument, on fume avec les policiers qui sont sympas, dans la rue, dans les cafés, partout, jamais tu te caches et ça ne coûte rien. Pour 7 F, tu as 1/2 kg de kif excellent. Sincèrement, je ne me vois pas rester à Suresnes. Nordine veut venir me chercher après avoir travaillé un mois à San Sebastián et on partirait à Amsterdam où il a des arrangements. Il veut qu'on se marie, avoir un fils et voyager. Il est très bien, je l'aime bien. Je lui ai même parlé de Tristan et de Julio qui m'attend à Madrid pour partir en Argentine et faire de l'artisanat là-bas. Lui aussi veut un fils, c'est une maladie, je ne sais pas ce qu'ils ont tous à vouloir un fils (sauf Tristan). Il faudrait une fois pour toutes que je sache lequel est le mieux pour moi, que je reste avec lui et que j'oublie tous les autres parce que ça ne va plus aller (pour l'instant ça va très bien).*

Et voilà ! J'avais dit à Nordine que je ne m'arrêterais pas à Madrid mais j'ai pensé que c'était trop ridicule après s'être écrit des conneries pendant un an, de ne pas aller voir Julio, et j'y suis allée, un peu à contre-cœur et ça a été le grand BOUM de nouveau. Nous sommes restés ensemble de 10 h du soir à 8 h du matin, maintenant je l'ai quitté, il pleurait, c'est con de jouer aux fantômes, on s'aime vachement ! Je crois que je vais partir en Argentine avec lui. Évidemment il y a la question fric. Je vais tout faire pour en avoir, je vais faire des colliers avec les pierres de Mauritanie que j'ai achetées, je vais tout vendre, tu m'aideras j'espère my love, peut-être faire des photos de mode, en ce moment je suis plutôt genre squelette, je vais garder des gosses (pas le mien j'espère, j'ai oublié une fois de prendre la pilule, j'étais défoncée, je l'ai prise le lendemain matin), je vais passer mon examen de rentrée, être très normale chez moi, ramasser du fric et un jour disparaître. C'est pas en Argentine qu'ils me chercheront ! Deux choses me font chier, quitter mon fardeau (toi), et puis Tristan. Je ne sais pas comment je vais réagir quand je le reverrai, je crois que j'ai vraiment envie de le faire souffrir. J'ai acheté des chiloms et des pipes, ça fait deux jours que je n'ai pas fumé et pourtant mes pupilles ne veulent pas redevenir normales. Je débite sans m'arrêter, pardon my love, je ne fais que parler de moi mais ça me fait du bien de raconter, excuse-moi c'est toujours sur toi que ça tombe. Pour répondre à ta question : Adam Haberberg a peut-être été amoureux de moi, comme la moitié du lycée (pas prétence la fille !!!), mais d'abord rassure-toi, il n'est pas du tout mon genre, trop lisible ! Maintenant c'est toi qui l'intéresses, j'en suis sûre. Fais un peu marcher tes petites méninges : à ton avis, pourquoi il nous a raccompagnées de la soirée de Meudon ? Si c'était pour moi il ne m'aurait pas raccompagnée moi en premier et toi en second. S'il t'a raccompagnée en second c'est pour être seul avec toi. Il est amoureux de toi mais c'est un type timide, vous êtes nuls de timidité tous les deux ! Au lieu de chialer connassement toutes les nuits en pensant à lui, fais le premier pas mon gros ! Qu'est-ce que tu risques ? Vous allez super-bien ensemble, il est sympa, il a de beaux yeux, t'as bien le temps de tomber sur des salauds, il y en a plein les rues et quand le salaud te dépucellera, tu diras, « Ah ! Où sont les braves types comme Adam ! » Écris-moi une longue lettre à Suresnes car je serai seule et ça risque de ne pas aller terrible à mon arrivée, surtout si je n'ai pas de sous pour les vitamines qui sont nécessaires à l'équilibre d'une personne. Nous allons arriver à la frontière, je vais essayer de poster la lettre s'il y a une boîte. Au fait, j'écris aux Hocquettes, j'ai paumé ton adresse à Cavalaire, j'espère qu'on fera suivre. Amuse-toi bien my love. Baigne-toi beaucoup et si tu vois un truc chouette, achète-le-moi.

ALICE.

V peace to you.

Adam replie les feuilles. Il les glisse sous l'enveloppe sans lever les yeux. Les timbres espagnols montrent un homme triste vêtu de noir sur un fond noir, avec une collerette blanche. Ils valaient chacun quatre pesetas.

Marie-Thérèse se tient rigide sur le canapé, fumant croit-il, une autre cigarette car la précédente n'aurait pu durer si longtemps. On entend le store qui bat derrière la fenêtre. Un bruit anodin de la vie, pense-t-il, mais rien n'est anodin, se dit-il, dans cette minute où se mêlent la révélation d'un passé plus que mort et un aveu sidérant. Serait-il d'une autre humeur qu'il pourrait en rire (mais ne rit pas qui veut dans le caveau de Viry-Châtillon). Et serait-il d'une autre humeur qu'il n'entendrait rien de lugubre dans cette agitation du rideau. Il a lu ces pages sans aucun bouleversement, se dit-il. Si le passé devient cette rumeur incohérente, le présent est voué au même destin. Est-ce l'essence du temps de n'être tôt ou tard qu'une rumeur incohérente ? Momifiée devant son cierge, Marie-Thérèse se joue de ces interrogations stériles, elle a mis en place son dispositif et attend. Mais qu'attends-tu Marie-Thérèse, toi qui semblais jusqu'ici littéralement inoffensive ? Tu as gardé cette lettre plus de trente ans. Pouvais-tu savoir que je viendrais un soir de folie, m'effondrer dans ta chapelle ardente ? Si j'étais d'une autre humeur j'en rirais, comme je rirai demain avec Albert. Je dirais avec décontraction, et d'un air goguenard, alors Marie-Thérèse, comme ça je hantais tes nuits ? Demain, je rirai bien avec Albert. À condition que je sorte de là sans dommage, à condition que je négocie avec intelligence la suite

115

des évènements. La pression oculaire s'est à présent diffusée dans tout le visage. Adam approuve la main démesurée qui appuie sur les tempes, le milieu du front et les pommettes. Que la douleur abandonne le territoire fatal des yeux est une victoire en soi, pense-t-il. Mais pourquoi faut-il que mon corps consacre une angoisse aussi irrationnelle ? Si j'étais d'une autre humeur, je n'irais pas prendre au tragique un malheureux rebondissement. Mais je ne suis pas d'une autre humeur. Je suis de l'humeur à prendre au tragique n'importe quel obstacle au repos de mon esprit. Est-il fondé de reprocher à quelqu'un son humeur ? À Irène, qui n'a de cesse d'en condamner les sautes et les mouvements, il avait décrété, je ne vois rien dans les éléments constitutifs de l'homme, de plus philosophique que l'humeur. Ce que tu appelles contradiction Irène, n'est qu'un changement de perspective. C'est moi, je sais, avait-il dit, qui ai proposé Saint-Vaast-la-Hougue, et je pensais quarante-huit heures tous les quatre au bord de la mer, c'est à la portée de n'importe quelle famille ordinaire, je t'ai reproché de faire les paquets sans entrain, je t'ai reproché de ne pas avoir l'air heureuse de partir avec ton mari et tes enfants manger des fruits de mer dans le Cotentin, je t'ai dit si la famille t'emmerde il ne fallait pas t'engager dans cette aventure, je te l'ai dit avec des mots moins choisis sûrement, je ne m'en souviens plus, je t'ai dit quand on a une famille il faut en accepter la servitude. À Saint-Vaast-la-Hougue, je n'ai pas voulu louer de vélos, j'ai critiqué la ville, la mer, les gens, les prix, j'ai critiqué l'éducation des enfants, j'ai montré partout un visage amer, tu m'as dit personne ne voulait de ce week-end, tu l'as entièrement décidé toi-même et tu as fait preuve d'une énergie inhabituelle pour le mettre sur pied, c'est toi qui nous as entraînés dans ce cauchemar par ta croyance subite en l'harmonie, ton désir inexplicable et furieux d'harmonie. Irène, au moment où je dis allons à Saint-Vaast-la-Hougue, je pense avec sincérité qu'il y a une joie possible à Saint-Vaast-la-Hougue, à peine sommes-nous dans l'escalier avec les valises, je sais qu'il n'y a aucune joie possible à Saint-Vaast-la-Hougue ou ailleurs, dans la voiture je reprends le dessus, je fais une bonne ambiance, je fais un cours sur les marées, je dis nous allons observer les goélands, je dis nous allons ramasser des coquillages, qui est en fait la dernière chose qui puisse m'intéresser au monde, je me suis toujours foutu des coquillages, je n'ai jamais rien trouvé aux coquillages mais je crois sincèrement qu'on peut tout à coup fraterniser avec les coquillages, je chante des vieux tubes en prenant des accents pour faire rire, j'achète un pistolet à eau que tu condamnes et tu as raison, le pistolet à eau est une connerie, et nous nous taisons, et nous sommes tous malheureux dans la voiture qui continue de rouler Dieu sait où. Un jour peut-être Irène, je ne croirai plus qu'il y a une joie possible à Saint-Vaast-la-Hougue ou ailleurs, ce sera non d'avance pour tout, tu n'auras plus à souffrir de mes humeurs, il n'y aura plus d'embarquement pour la désillusion. Le sphinx Lyoc a éteint sa cigarette. Au moment où Adam la regarde, elle a retiré ses baskets et déplié ses jambes sur le canapé. Lui tient toujours l'enveloppe et les feuilles dans sa main. Qu'attend-elle ? Pourquoi a-t-elle montré cette lettre ? Une fille qui n'ose pas traverser avec les autres piétons un boulevard désert. Que signifient ce silence et cette position semi-alanguie ? Après la thrombose, le Cotentin, le fiasco du livre, fallait-il Marie-Thérèse Lyoc en hétaïre à Viry-Châtillon ? Elle a laissé une veilleuse bleue dans la cuisine. Je suis sommé de répondre, pense-t-il. Je suis *sommé* de répondre, au train où vont les choses, pense-t-il, coincé entre la salle d'autopsie et les ténèbres du lac, à un fantasme vieux de trente ans. Demain, nous rirons avec Albert. Il imagine un instant la possible étreinte. Il envisage pour la première fois Marie-Thérèse et constate qu'elle a, dans la lumière tremblante du cierge, et sans doute aggravée par le contre-jour frisant, pense-t-il, une ombre, non pas de moustache, mais de bouc. Il remarque les épaules qui surplombent la poitrine albertienne, des épaules d'une vigueur anormale. Elle est forte, se dit-il, c'est une broyeuse. Je dois lui avouer la thrombose. La thrombose est une raison valable pour ne pas passer à la casserole. Marie-Thérèse, il ne faut pas s'attendre hélas, de ma part à une heureuse disponibilité du corps... Et si elle ne comprend pas de quoi je parle ? Ou feint de ne pas comprendre ?

Tu ne peux pas attaquer de but en blanc. Les femmes veulent des préliminaires. Elles veulent entendre des mots et des aveux, aveu de faiblesse s'il le faut, d'incertitude, d'impuissance, n'importe quel aveu. Tu te croyais à l'abri de la vie dans l'antre de Viry. Tu ne voyais pas la vie s'introduire par on ne sait quelle porte, pour t'obliger à négocier, non quelque issue charnelle, de toute façon irréalisable, ni l'humiliation qui en résulterait à laquelle tu n'attacherais aucune importance, mais un virage vers la pitié. Une pitié, pense-t-il, aussi bien destinée à Marie-Thérèse qu'à lui-même, une pitié funèbre qui s'étend à la lumière, aux objets, aux arêtes froides des murs. Une pitié, sait-il, dont il pourrait faire usage à présent, qui serait en quelque sorte, le seul argument valable de l'écriture, mais qu'il n'aura, à moins d'un miracle, croit-il, ni le temps, ni la force d'exploiter. Tout arrive trop tard, pense-t-il. Et tout revient au même. Avoir été Adam Haberberg ou Marie-Thérèse Lyoc, les visages en noir et blanc sous le préau de Suresnes, les visages alignés couchés sur la table, que tout séparait autrefois, cela revient au même. Petit à petit, pense-t-il, ce que nous tenions pour réalité s'avère une illusion, le nom, l'œuvre, l'avenir. Derrière la fenêtre, il entend les mouettes crier. Des cris de lointain qui viennent confirmer l'irréel et aberrant silence, qu'il faut briser pense-t-il, coûte que coûte. Comment vais-je rentrer ? Un taxi ? À Viry-Châtillon, en pleine nuit ? Il vaut mieux simuler une apoplexie et appeler le Samu.

Mais c'est Marie-Thérèse qui bouge. Elle se lève, et contourne la table basse. Arrivée devant lui, elle s'empare des pages de la lettre et les passe à la flamme du cierge. Mais qu'est-ce que tu fais ! crie Adam, se levant aussitôt et empoignant les feuilles pour les sauver. Marie-Thérèse tient bon. Arrête Marie-Thérèse, c'est idiot !

— Qu'est-ce que ça peut te faire ? dit-elle, écartant les mains d'Adam et s'agrippant à la liasse.

Adam résiste, tire le papier et récupère des morceaux déchirés. Marie-Thérèse, ça n'a aucun sens ! implore-t-il, médusé par ce geste frénétique.

— Ça n'a aucun sens de conserver cette lettre.

— Tu l'as conservée pendant trente ans.

Marie-Thérèse essaie de reprendre le reste de la lettre. Adam froisse les feuilles en boule et les cache derrière son dos.

— Donne.

— Non.

Adam esquive les mains de Marie-Thérèse. A-t-elle été vexée par son absence de réaction ? Vexée par son silence, la malheureuse veut faire disparaître la trace de son égarement passé. Brûler la honte, pense-t-il en se servant du fauteuil comme bouclier, jaugeant l'inexplicable puérilité de son propre comportement. Ils font quelques passes autour du fauteuil, puis Adam s'échappe du côté de la fenêtre. Allez, donne ! dit-elle en riant et tournant autour de lui. Donne ! rit-elle de son rire de gorge incongru.

Marie-Thérèse rit. Voilà comment débutent les grandes histoires d'amour. On se tournicote autour en riant. L'aimé tient le furet et la coquine tournicote pour l'attraper. Bien sûr la scène ne se déroule pas dans le funérarium de Viry-Châtillon, les personnages n'ont pas cinquante ans et une thrombose, et ne vendent pas des produits dérivés. Qu'importe. C'est une variante. Adam fait passer la boule de papier d'une main à l'autre, lève les bras, Marie-Thérèse sautille en gloussant, sans ses baskets elle est à peine plus petite que lui. Elle a abandonné toute retenue, son visage n'est plus que dentition heureuse, enivrement stupide, pense-t-il. Lui se surprend à quelques facéties physiques, feintes, contrepieds, lancements en chandelle, la boule vole, disparaît. À un moment donné, Adam rate sa parade et la lance par inadvertance à travers la pièce. La boule atterrit sur le dessus du bahut. Tous deux se précipitent. Adam se cogne à l'angle de la table basse, Marie-Thérèse saisit les lambeaux chiffonnés. Gagné ! s'écrie-t-elle. Gagné, chante-t-elle, en faisant voleter sous ses yeux les feuilles qu'elle déplie, où réapparaît la grosse écriture bleue et par endroits raturée d'Alice Canella. Adam s'est laissé tomber sur le canapé. Il a mal au genou et la douleur frontale a gagné du terrain, note-t-il, elle s'étend au nez et au maxillaire supérieur. Sur l'étagère, Andréas sourit de biais dans son cadre argenté. Peut-être devrais-je aussi consulter un dentiste, pense Adam. Marie-

Thérèse parcourt en silence les fragments de la lettre défroissée. Elle avance les pages vers la bougie et pose la petite torche sur le cendrier en forme de trèfle. Il y a un souffle léger d'embrasement, les feuilles s'étirent et se rétractent, il y a des flammes, de la fumée, une lueur bleutée qui persiste, et puis un bloc noir.

— Je croyais que ça te ferait rire, dit Marie-Thérèse, tandis que s'estompe l'odeur âcre.

— Quoi ?

— La lettre. Je croyais que ça te ferait rire.

— Tu vois.

— Après toi j'ai été amoureuse du frère d'Evelyne Estivette, Rémy, je ne sais pas si tu l'as connu, qui avait un an de plus que nous et qui était dans une boîte privée à Paris. Il ne s'est rien passé non plus, rit-elle. En fait jusqu'au bac, il ne s'est jamais rien passé, dit-elle gaiement.

— Ah bon.

Marie-Thérèse s'assoit sur un bras du fauteuil. Pendant un moment elle ne fait rien, puis elle saisit la photo de classe et la contemple en balançant une jambe dans le vide. On entend à nouveau battre le store et crier les mouettes. Un souvenir traverse l'esprit d'Adam. Une après-midi, rue Lalande, chez son premier éditeur, ils étaient tous deux assis, ayant épuisé les sujets. Dans une cage, une sorte d'oiseau exotique triait des graines avec son bec. Tout à coup, sans raison, dans un mouvement convulsif, l'oiseau avait émis une vocalise stridente puis s'était tu. Un appel obscur que personne n'avait relevé. Tu as l'air au fond du trou Adam.

— Ah bon ?

— Tu as l'air terriblement déprimé.

— Tu trouves.

— Même la façon dont tu dis tu trouves.

— Ah.

— Tu trouves, imite-t-elle.

— Je ne l'ai pas dit comme ça.

— Si.

— Tu me dis que j'ai l'air déprimé je dis, tu trouves ?

— Tu ne l'as pas dit avec ce ton.

— Je ne l'ai pas dit avec ce ton parce que je trouve ahurissant qu'on puisse dire à quelqu'un qu'on ne connaît pas, de cette manière abrupte, qu'il a l'air au fond du trou.

— Je te connais.

— Non Marie-Thérèse, tu ne me connais absolument pas.

— Je vois bien que tu vas mal. Je l'ai vu tout de suite, déjà au Jardin des Plantes.

De quel droit juge-t-elle de mon état, pense-t-il, de quel droit *profère-t-elle* une appréciation sur mon état, cette rate claudiquant sous la pluie avec ses sacs d'échantillons. De quel droit peut-elle décréter que je vais mal, cette ombre qui traverse le temps avec une robustesse écœurante. Je ne vais pas mal Marie-Thérèse, je vais *au plus mal*, je ressens un chagrin indescriptible et je ne sais pas d'où pourrait venir la consolation, mais ça tu ne peux pas le savoir. Tu ne peux pas l'imaginer Marie-Thérèse parce que ton énergie te dénonce, et ton courage te dénonce. Un être qui peut vivre dans ce trou sans être anéanti, qui peut ouvrir ses volets sur ce paysage vide sans pleurer amèrement, ne peut pas juger de mon état. Un être qui peut affronter la cuisine en longueur et l'alignement des robots ménagers sans se sentir mortellement abandonné, ne peut juger de mon état. Je n'ai aucune admiration pour ton énergie, elle me nuit. Je n'ai aucune admiration pour ta bonne humeur, elle me sidère et me révulse. Rien en toi ne me parle, et rien en moi ne peut te parler. Et ce n'est pas parce que la fatalité m'a mis ce jour dans ta Jeep Wrangler que tu peux prétendre à la moindre connivence et me dire, avec quel culot, que j'ai l'air au fond du trou, et avec quelle stupéfiante autorité que tu voyais bien que j'allais mal et que tu l'avais *déjà vu* au Jardin des Plantes. Tu ne peux rien comprendre à ma vie parce que toi Marie-Thérèse, tu étais damnée dès le départ. Tu as accepté cette damnation et tu vis avec. Tu t'es fondue dans la masse, tu as aplani les discordances entre le monde et toi, tu y as fait ton nid, tu dis *business*, tu dis *look* pour une machine à laver, tu dis *je suis épanouie*, une femme qui dit *mon business* avec cette croyance m'est étrangère à jamais. Tu fais partie de ces gens qui ne veulent rien d'impossible, et qui d'une manière ou d'une autre se sont soustraits à l'attente. Des sages de tous les jours si on veut. Des gens qui *réussissent* parce qu'ils sont *vrais* et *authentiques* dans un milieu où n'importe quel esprit sensible s'étiole et se désagrège. Je ne peux pas croire que Dieu se soit rétracté pour laisser place à une humanité de ton espèce. Il n'y a aucune égalité entre toi et moi. Nous ne nous ressemblons en rien, je t'interdis de penser que nous puissions être égaux au point que je me laisse aller à la confidence. Tu ignores la défaite et le sentiment de déréliction. Tu ne sais pas ce qu'est la solitude. Tu te lèves seule et tu n'as pas d'enfants, tu es passée à côté du modèle universel, mais tu n'éprouves pas *ma* solitude. Si tu l'éprouvais, tu ne pourrais pas survivre deux minutes entre ta tanière de Viry et tes installations de *corners* dans les parcs d'attractions. Ma solitude à moi me colle, jamais je ne m'en défais. Que je sois entouré, que je sois avec Irène, avec les enfants, dans cette vie de famille qui me tue, où l'homme ne fait que s'avilir et brader ce qu'il est, que je sois en société ou seul avec moi-même, le sentiment de solitude ne m'abandonne pas. C'est lui qui règne sur ma vie. S'il avait régné sur la tienne Marie-Thérèse, tu flotterais au fond du lac, car tu ne pourrais endurer d'ouvrir tes volets sur cette eau morte et ces cris de lointain. Dans la Jeep, tu as dit à un moment donné *nous n'avons même pas cinquante ans*, tu as dit *nous* comme si nous étions de la même fournée toi et moi, comme si notre absurde promotion du lycée avait eu un sens. Marie-Thérèse, je me souviens à peine de toi au lycée, tu étais l'être invisible par excellence. J'ai fait semblant, par compassion, lorsque tu t'es approchée avec tes sacs d'échantillons et ton parapluie, de renouer un fil inexistant. Lorsque tu as dit *nous* dans la Wrangler, j'ai compris mon erreur, j'ai compris que tu ne considérais pas comme un immense honneur que je sois assis sur ce siège à tes côtés, et comme un immense honneur que j'aie pu accepter ton impensable invitation. J'intègre à présent que je n'étais pas seulement ton égal mais ton protégé. Je t'ai fendu le cœur, chauve et seul sur mon banc mouillé, et tu m'as embarqué dans ton 4 × 4 au même titre qu'une des bêtes du zoo si on pouvait les extraire de leur cage. On ne se méfie jamais assez des gens de ta catégorie, des gens soi-disant inoffensifs qui vous réduisent en une phrase. Des gens qui vous ramènent à vous de la pire manière, sans qu'on leur demande rien, sans qu'on leur ait accordé le privilège de la moindre familiarité et qui profitent de votre faiblesse pour vous démolir. Marie-Thérèse, j'ai conservé le rêve naïf de devenir un écrivain, c'est-à-dire un homme qui tente de se sauver de lui-même. Un homme qui pour conserver un peu d'élan vers l'avenir, s'efforce d'échanger sa propre existence contre celle des mots. Je ne veux pas entendre que *je vais mal*, ces termes sont abjects d'insignifiance venant de toi Marie-Thérèse. Mes cheveux blanchissent, mes dents jaunissent et mes mains rapetissent. Je te défends de le remarquer. Je perds la vue. Je te défends de le remarquer. Même si je suis à l'agonie et mourant, je te défends de remarquer que je suis à l'agonie et mourant, tu n'as pas le droit de remarquer quoi que ce soit me concernant, tu ne peux rien comprendre à ce que je suis, tu as accepté de vivre en étant Marie-Thérèse Lyoc, tu as accepté de faire partie de la plèbe humaine, nous n'appartenons pas à la même caste, je te défends de remarquer mon effondrement.

Il se lève brutalement et dit, Marie-Thérèse, je dois rentrer. Elle dit, déjà? Il répond, je ne peux pas rester plus longtemps. Elle lui demande s'il est séparé de sa femme. Il répond qu'il n'est pas séparé de sa femme, pourquoi le serait-il, et il réclame d'urgence un taxi. Marie-Thérèse dit, c'est rare tu sais, les hommes qui sont libres le soir au dernier moment. Et encore plus rares, a-t-il envie de répondre, les hommes capables de s'enterrer vivants à coups de grandes pelletées. Tu connais un numéro ici? dit-il.

— Je vais te ramener.

— Tu ne vas pas refaire l'aller-retour. Appelle un taxi.

— Ça va te coûter une fortune.

— C'est pas grave.

— Qu'est-ce que tu as aux yeux?

— Rien.

— Tu mets tout le temps ta main devant ton œil.

— C'est rien.

— C'est quoi ?

— Une poussière, Marie-Thérèse ! Ça va passer !

— Ne t'énerve pas. Pourquoi tu cries ?

— Appelle, s'il te plaît.

Marie-Thérèse retourne dans la pièce au fond du couloir. Pendant un moment il n'entend rien. Le bruit du frigidaire, les appels des oiseaux par vagues, certains doux comme des pincements de corde, des voix de brouillard, pense-t-il. Il regarde la fleur dans son pot sur la table basse. Il note aussi, plus proche et imperceptible, le crépitement du cierge. Il regarde ses chaussures, encore humides de la pluie, le bas du pantalon aussi. Je dois rentrer, pense-t-il. Marie-Thérèse revient avec un petit fascicule de banlieue. Je vais essayer les stations, dit-elle. J'appelle la gare, dit-elle en composant un numéro. On entend la sonnerie au bout du fil. Une sonnerie aussitôt vaine, pense-t-il, qui peut bien attendre à la borne de la gare, dans la nuit de Viry-Châtillon ? Marie-Thérèse raccroche. La borne du marché, c'est même pas la peine, dit-elle en composant un autre numéro. Dans le récepteur à nouveau, les longues sonneries sans réponse. Marie-Thérèse regarde un horizon opaque derrière la porte-fenêtre du lac. Puis elle renonce. J'essaie une compagnie à Juvisy, dit-elle, sinon on appellera les Taxis Bleus. Sur la table basse, à côté du cendrier en forme de trèfle où la cendre noire s'est aplatie, il y a le pla-

teau avec les verres vides de Guignolet et la soucoupe des Tucs. Il y a aussi le verre d'eau et le
sachet déchiré de Veinamitol. Allô, bonsoir, crie
soudain Marie-Thérèse, 2, rue Claude-Debussy à
Viry. Viry-Châtillon, répète-t-elle en haussant le
ton d'un cran. De l'autre côté, Adam perçoit
une voix de femme. À Paris, crie Marie-Thérèse.
Une Xantia ? hurle-t-elle, d'accord merci. Une
Xantia grise dans quinze minutes, dit-elle en
posant l'appareil. Encore un quart d'heure,
pense Adam. Elle a raccroché. Ils sont debout.
Elle finit par dire, on peut encore s'asseoir
quelques minutes. Elle le dit comme une question, elle n'ose pas prendre la décision. Aussi
restent-ils debout car voudrait-il lui accorder
cette petite faveur, ses genoux refusent de flé-
chir et le corps de retourner au fauteuil. Un
retour au fauteuil, pense-t-il, incompatible avec
sa volonté de peiner, d'afficher son désir de
fuite et l'urgence supérieure de sa vraie vie.
D'un autre côté, pense-t-il, vais-je rester un quart
d'heure debout ? Que je sois assis ou debout, il
faut craindre une dilatation du temps. Lequel,
se souvient-il, jamais ne se dilate dans les
moments heureux. Dans quel trou de l'être suis-
je tombé pour me soucier d'être assis ou debout.
Il s'assoit sur l'extrême bord du fauteuil, une
position inconfortable, et minable, note-t-il. Il
saisit la photo de classe, comme il saisirait un
prospectus dans une salle d'attente, un geste
ultime d'ennui, il pense au vers de Borges *le*

mince hier des photographies. Alice Canella est floue. Hervé Cohen et Tristan Mateo sont flous. Demonpion, Serge Gautheron, Lyoc et Haberberg, et ceux dont il ignore le nom, les visages contemplés quelques minutes auparavant se sont pour ainsi dire gommés. Il lève la main. L'obsession étant de regarder avec le mauvais œil, il lève aussitôt la main, mais s'arrête en chemin et se contente de cligner car Marie-Thérèse remarque tout cette charognarde, elle est à l'affût du désastre, il hait sa visqueuse sollicitude, les gens qui se mêlent de votre santé sont des gens malveillants, des gens qui vous assoient dans la maladie et qui guettent le pépin grave. Donc il cligne. Et ne voit rien. Une masse grise indistincte. Mais tu n'as jamais su cligner, se dit-il, tu t'es toujours défiguré en clignant et tu as toujours vu trouble. Il masque le bon œil avec sa paume. Les visages n'apparaissent pas. Le cœur battant, il approche la bougie de la photo et n'en retire qu'une impression vaguement houleuse. Je suis aveugle, pense-t-il. Il masque le mauvais œil. Les visages retrouvent leur nébuleuse évidence. Vous avez de la chance, avait dit l'ophtalmo, l'accident vasculaire aurait pu se produire n'importe où ailleurs y compris dans le cerveau, la thrombose aurait pu affecter un organe vital. Avons-nous la même conception du *vital* docteur ? Peut-on seulement discuter avec des gens qui ne considèrent pas la perte d'un sens comme une perte *vitale* ? Et ne me dites pas vous n'avez perdu qu'un œil, vous n'avez pas perdu la vue. Qui a perdu un œil docteur sait qu'il peut perdre l'autre, ce qui a frappé le premier peut bien frapper le second, a fortiori chez un sujet atteint d'une anomalie génétique, un œil seul qui contemple un demi-monde est plus vulnérable, d'ailleurs il est déjà menacé par le glaucome, mon Dieu le glaucome, pense-t-il, quel mot horrible lui aussi, et si j'allais cette nuit me faire faire un champ visuel en urgence aux Quinze-Vingts, pourquoi attendre trois semaines, ces médecins n'ont pas le sens du temps, quand comprendront-ils que l'anxiété aggrave le mal, que l'attente est meurtrière, attendre me tue docteur, je parle en connaisseur, j'ai collé mon visage à la vitre, comme je le faisais pour de vrai à une époque de ma jeunesse où j'habitais à Boulogne devant la Seine, je regardais le fleuve et les péniches, je voyais la vie passer derrière, mes années ont été gobées par le vide. À côté de Demonpion, sur la photo, il reconnaît la figure indécise et bouffie de Nana Sitruk. Qu'est devenue Nana Sitruk, qui n'avait même pas passé le bac, se souvient-il, une ménagère, une mère, une fonctionnaire de la Poste, Nana Sitruk, dissoute comme les autres dans l'existence, on ne devient rien, pense-t-il, on ne devient jamais rien. Un jour, qui sait, dans un cimetière juif quelconque, on pourra voir dans une même allée les noms gravés de Nana Sitruk et Adam Haberberg, se dit-il, des mots traduits de la nuit, des entailles pierreuses monotones sous un même ciel. Un jour, le grand, en revenant de vacances avait dit à Irène, tu me diras maman comment tu fais pour manquer tellement aux gens. Moi je ne manque à personne, à part à toi et à papa. Lui aussi autrefois allait en colonie. Il n'aimait pas la colonie mais il aimait la montagne. Est-ce que le grand avait aimé la montagne ? Est-ce qu'il avait aimé les sentiers, les racines emmêlées, les milliers d'aiguilles de pins. Est-ce que tu as aimé les sentiers qui tournent on ne sait où, les sentiers qui montent et redescendent on ne sait où, je te réveillerai quand j'arriverai cette nuit et je te demanderai comment tu cours sur les chemins d'épines. Je veux voir les enfants, je veux rentrer. Je veux voir Irène, me mettre en boule, me recroqueviller comme un chien, les pattes rentrées sous les membres, je suis fatigué, je suis fatigué de me déglinguer, j'ai peur. Borde-moi Irène, je ne comprends pas ce qui m'arrive. Marie-Thérèse s'est assise sur le canapé. Elle a rallumé une cigarette et dit, tu veux mes lunettes ? Elle me scrute, elle observe le moindre de mes gestes, ces gens qui n'ont aucune vie propre dissèquent les autres, qu'est-ce que j'ai à faire de ses lunettes.

— Donne, donne les lunettes ! tendant par-dessus la table, un bras crustacéesque et désespéré.

Les lunettes de Marie-Thérèse corrigent le monde un instant et donnent aussitôt envie de vomir. Adam se lève. Je dois prendre l'air, je vais attendre dehors. Dans l'entrée, il enfile son manteau, palpe toutes ses poches. Il a déjà un pied dans le hall quand elle dit, ça m'a fait plaisir de te revoir.

Il court dans le froid escalier de béton, il dévale les marches, il passe devant les boîtes aux lettres, qu'il peut lire facilement, note-t-il en poussant la porte vitrée. La première chose qu'il voit dehors, c'est le restaurant blanc. Un peu effacé par la brume lui aussi, mais il ne croit pas que c'est la brume de ses yeux, c'est la vraie brume du temps. Il n'y a plus d'enseigne verte et plus de lumière derrière les fenêtres et les rideaux. Presque plus de lumière alentour, excepté celle des lampadaires. Il sort le portable et appelle Albert. Il entend la sonnerie et puis la messagerie. Il dit : Saint-Vaast-la-Hougue. Et coupe. Il s'avance au hasard vers le parking. Il entend au loin quelques rumeurs de voitures. Aucune ne s'approche. Il s'avance au hasard vers le lac. Où sont les oiseaux, pense-t-il, marchant encore vers l'étendue noire. Il traverse le chemin du dimanche, c'est le nom qu'il lui donne, et manque tomber en enjambant l'inutile parapet. Il suit la pente herbeuse qui s'enfonce dans l'eau. Dans l'air, est-ce la nuit ou le brouillard, flotte une odeur de sous-bois, une odeur de terre humide et de nénuphar. Il pense aux nénuphars qui longent les torrents, aux arbres tombés, on ne sait pourquoi, arrachés par le vent, ou foudroyés. Il pense aux nénuphars qui poussent parmi les branches mortes, les innombrables rameaux morts et écorchants. Il se souvient de l'animal solitaire des forêts d'Asie. Un jour, j'irai dans les forêts montagneuses d'Asie, pense-t-il. Et puis il les distingue. Confinés près d'un bord, serrés les uns contre les autres, dormant peut-être, les canards, les cygnes, et d'autres sortes d'oiseaux peut-être, il n'y connaît rien. Adam s'avance. Et puis, est-ce à cause des yeux, de la nuit, ou du brouillard, il ne voit plus qu'un amoncellement duveteux et pétrifié.

Lorsque la voiture arrive sur le parking, Adam ne l'entend pas. Ce qu'il entend, c'est son nom. Son nom lancé dans les airs, impudiquement signalé à la ronde, et il ressent le même pincement qu'il y a des années à Suresnes, quand sa mère criait Adam par la fenêtre. Ce cri dévoilait à la fois son nom, sa fenêtre, l'heure de son bain, de ses devoirs, la voix, le visage de sa mère, et il était le seul qu'on appelait comme ça au beau milieu d'un jeu, au beau milieu d'une cavalcade, et même s'il n'était pas le seul, il était toujours le premier appelé se souvient-il, et le seul de cette voix suraiguë qui le mortifiait. Marie-Thérèse est sur son balcon, à moitié cachée par la balustrade de ciment. Elle montre le taxi en contrebas. Quand cessera-t-elle d'être encore là ? Il glisse sur le talus, traverse le chemin du dimanche et se dirige droit vers la Xantia. Il dit, rue Morère, dans le 14e, par la porte de Châtillon. La femme démarre et entame un demi-tour circulaire sur le parking. Adam regarde le compteur, la nuque de la femme, la marionnette qui pend sous le rétroviseur. Il voit passer la Jeep Wrangler, la nuit sur le lac. Il lève la tête. Sur la terrasse vide qui paraît immense, Marie-Thérèse Lyoc agite la main en signe d'au revoir. Un geste qu'il aurait pu ignorer, pense-t-il, s'il n'avait levé les yeux, et qui n'aurait été adressé à personne. Il ouvre la vitre pour sortir son bras, elle ne peut le voir, pense-t-il, à l'intérieur, mais la voiture accélère et son propre mouvement dessine un trait dans le vide.

Adam renverse sa tête sur la banquette, ses yeux se ferment. Le soulier vert a disparu. À la place, il croit voir, au bout d'un chemin obscur, une alternance de cases blanches et noires. Pendant plusieurs années, pense-t-il, dans la Xantia qui gravit la côte et tourne on ne sait où, il avait joué aux échecs avec Goncharki, chacun se croyant supérieur à l'autre. Au fil des séances, Goncharki avait pris le pli de s'asperger du *Blenheim Bouquet* de Penhaligon's, le parfum de Churchill, avant chaque partie. Un jour, n'y tenant plus, Adam avait dit, je suffoque, je ne peux plus jouer dans ces conditions. Le parfum d'un homme de guerre, avait répondu tranquillement Goncharki, en déplaçant sa tour. Le parfum d'un tricheur, avait rétorqué Adam. Un tricheur ? Oui. Vous vous inondez exprès pour me déconcentrer. Pitoyable, avait conclu

Goncharki en couchant son roi. Il faudra parler à Guen de ces visions successives. Doit-on leur accorder un sens au-delà du physiologique ? Une chaussure et un damier. Ne me dites pas professeur (depuis que j'ai perdu mon œil gauche, je ne veux avoir affaire qu'à vous), que le corps façonne des images accidentelles, ne me dites pas, car vous n'en savez rien, que nous devons au seul hasard, lorsque nous baissons nos paupières, de voir une chaussure et un damier. Le jour des funérailles de Winston Churchill, le père de Goncharki, voûté devant son poste de radio, suivant toute la cérémonie sur les ondes et fronçant le sourcil au moindre bruit, avait levé la tête et dit « Dieu est moins grand que Churchill ». Ce n'était pas tant l'extravagance de la formule qui avait alors frappé Goncharki, âgé de treize ans, que l'expression de violente pénétration, et aussi, avait-il cru voir, de condamnation qui l'accompagnait. C'était, avait-il raconté, une *sentence* au sens cosmique. Le livre de Goncharki sur Meyer Lansky commençait par ces mots « Le jour baisse, dans le triste appartement de Floride, sans aucune vue, avec une seule chambre et des lits jumeaux ». Adam aimait cette phrase bancale qui lui revenait on ne sait pourquoi. Quelle histoire pourrais-tu raconter, pense-t-il, tu n'as pas d'histoire à raconter, d'ailleurs tu n'as jamais su raconter, encore moins inventer, même à tes enfants, on te dit tu es un écrivain et tu ne sais même pas raconter une histoire à tes enfants, non tu ne sais pas, tu ne sais pas fabriquer les évènements, les obstacles, les bifurcations, tu t'es surpris toi-même avec le *Prince Noir de Mea-Hor*, mais Blade est immortel, on ne raconte pas l'histoire d'un immortel, plus exactement, les immortels n'ont pas d'histoire. On crée des péripéties, c'est tout, n'importe qui peut le faire.

DU MÊME AUTEUR

CONVERSATIONS APRÈS UN ENTERREMENT, repris dans THÉÂTRE (Livre de poche n° 14701)

LA TRAVERSÉE DE L'HIVER, repris dans THÉÂTRE (Livre de poche n° 14701)

L'HOMME DU HASARD, repris dans THÉÂTRE (Livre de poche n° 14701)

« ART », repris dans THÉÂTRE (Livre de poche n° 14701)

HAMMERKLAVIER (Livre de poche n° 14664)

UNE DÉSOLATION (Livre de poche n° 15020)

LE PIQUE-NIQUE DE LULU KREUTZ

TROIS VERSIONS DE LA VIE

ADAM HABERBERG (première édition), repris sous le titre : HOMMES QUI NE SAVENT PAS ÊTRE AIMÉS (deuxième édition) (Livre de poche n° 30153), puis sous le titre original (troisième édition) (Folio n° 6000)

UNE PIÈCE ESPAGNOLE

NULLE PART (Livre de poche n° 30841)

DANS LA LUGE D'ARTHUR SCHOPENHAUER (Folio n° 5991)

L'AUBE LE SOIR OU LA NUIT (J'ai Lu n° 8930)

LE DIEU DU CARNAGE

COMMENT VOUS RACONTEZ LA PARTIE (Folio n° 5814)

HEUREUX LES HEUREUX (Folio n° 5813)

BELLA FIGURA

Composition : IGS-CP à L'Isle-d'Espagnac (16)
Achevé d'imprimer par Novoprint
le 14 août 2015
Dépôt légal : août 2015
ISBN : 978-2-07-046700-6/Imprimé en Espagne